総合判例研究叢書

民　法（6）

有斐閣

序

フランスにおいて、自由法学の名とともに判例の研究が異常な発達を遂げているのは、その民法典が百五十余年の齢を重ねたからだといわれている。それに比較すると、わが国の諸法典は、まだ若い。最も古いものでも、六、七十年の年月を経たに過ぎない。しかし、わが国の諸法典は、いずれも、近代的法制を全く知らなかつたところに輸入されたものである。そのことを思えば、この六十年の間に極めて重要な判例の変遷があつたであろうことは、容易に想像がつく。事実、わが国の諸法典は、それに関連する判例の研究でこれを補充しなければ、その正確な意味を理解し得ないようになつている。

判例が法源であるかどうかの理論については、今日なお議論の余地があろう。しかし、実際問題として、多くの条項が判例によつてその具体的な意義を明かにされているばかりでなく、判例によつて特殊の制度が創造されている例も、決して少くはない。判例研究の重要なことについては、何人も異議のないことであろう。

判例の創造した特殊の制度の内容を明かにするためにはもちろんのこと、判例によつて明かにされた条項の意義を探るためにも、判例の総合的な研究が必要である。同一の事項についてのすべての判決を探り、取り扱われた事実の微妙な差異に注意しながら、総合的・発展的に研究するのでなければ、判例の研究は、決して終局の目的を達することはできない。そしてそれには、時間をかけた克明な努力を必要とする。

幸なことには、わが国でも、十数年来、そうした研究の必要が感じられ、優れた成果も少くないようになった。いまや、この成果を集め、足らざるを補ない、欠けたるを充たし、全分野にわたる研究を完成すべき時期に際会している。

かようにして、われわれは、全国の学者を動員し、すでに優れた研究のできているものについては、その補訂を乞い、まだ研究の尽されていないものについては、新たに適任者にお願いして、ここに「総合判例研究叢書」を編むことにした。第一回に発表したものは、各法域に亙る重要な問題のうち、研究成果の比較的早くでき上ると予想されるものである。これに洩れた事項でさらに重要なもののあることは、われわれもよく知つている。やがて、第二回、第三回と編集を継続して、完全な総合判例法の完成を期するつもりである。ここに、編集に当つての所信を述べ、協力される諸学者に深甚の謝意を表するとともに、同学の士の援助を願う次第である。

昭和三十一年五月

編集代表
小野清一郎　宮沢俊義
末川博　我妻栄
中川善之助

凡　例

一　判例の重要なものについては、判旨、事実、上告論旨等を引用し、各件毎に一連番号を附した。

二　判例年月日、巻数、頁数等を示すには、おおむね左の略号を用いた。

大判大五・一一・八民録二二・二〇七七　（大審院判決録）

（大正五年十一月八日、大審院判決、大審院民事判決録二十二輯二〇七七頁）

大判大一四・四・二三刑集四・二六二　（大審院判例集）

最判昭二二・一二・一五刑集一・一・八〇　（最高裁判所判例集）

（昭和二十二年十二月十五日、最高裁判所判決、最高裁判所刑事判例集一巻一号八〇頁）

大判昭二・一二・六新聞二七九一・一五　（法律新聞）

大判昭三・九・二〇評論一八民法五七五　（法律評論）

大判四・五・二三裁判例三・刑法五五　（大審院裁判例）

福岡高判昭二六・一二・一四刑集四・一四・二一一四　（高等裁判所判例集）

大阪高判昭二八・七・四下級民集四・七・九七一　（下級裁判所民事裁判例集）

最判昭二八・二・二〇行政例集四・二・二三一　（行政事件裁判例集）

名古屋高判昭二五・五・八特一〇・七〇　（高等裁判所刑事判決特報）

東京高判昭三〇・一〇・二四東京高時報六・二・民二四九　（東京高等裁判所判決時報）

札幌高決昭二九・七・二三高裁特報一・二・七一　（高等裁判所刑事裁判特報）

前橋地決昭三〇・六・三〇労民集六・四・三八九　（労働関係民事裁判例集）

その他に、例えば次のような略語を用いた。

裁判所時報＝裁　時　家庭裁判所月報＝家裁月報

判例時報＝判　時　判例タイムズ＝判　タ

目次

仮登記の効力

川島一郎

はしがき

仮登記の効力は古くから論じられた問題の一つであつて、これに関する判例もかなり多数に上つているが、その中には先例を変更したものや、これと趣旨を異にするものも少くない。これは仮登記の制度自体が難解な性格を有する上に、その効力に関する規定が不備であることにもよると思われるが、それだけにまた、この問題については、総合判例研究の必要が特に強く感じられる。

はじめの考えでは、最後に仮登記の効力の総括を試みる予定であつたが、そこまでは手がまわり兼ねた。そのため、本稿が本叢書の目的に十分副い得なかつたのではないかをおそれている。

一　概　説

不動産登記法は、二条において、（イ）登記すべき権利の変動はすでに生じているが、登記の申請に必要な手続上の条件が具備していない場合及び、（ロ）登記すべき権利の変動もいまだ生じていないが、その――現在又は将来の――請求権が存する場合に仮登記をなし得る旨を定め、七条二項において、「仮登記ヲ為シタル場合ニ於テハ本登記ノ順位ハ仮登記ノ順位ニ依ル」と規定している。従って、仮登記は、終局登記をなすべき形式的又は実質的要件が欠けている場合に、後日なされるべき本登記（終局登記）の順位を保存するためになされる準備的な登記――予備登記の一種――であると説明されている。

それでは、仮登記は、いかなる効力を有するものであろうか。

（一）　まず、仮登記が後日なされるべき本登記のために順位を保存する効力を有することは、不動産登記法七条二項の規定するところである。この効力は、仮登記の本質的な効力であると考えられているが、その実質的な意義ないし内容については説が分れており、判例もこれに独特の説明を与えるに至つている。

なお、仮登記が順位保存の効力を有している結果、本登記のなされる以前においても、「或場合ニハ仮登記アル権利者を以テ恰モ当該物権者ナルカノ如キ取扱ヲ為スノ必要ヲ生ス」ることが考えられる。これは仮登記の効力の内容自体ではないが、これに関係があるのであわせて考察するのが便宜である。

（二）　仮登記は予備登記の一種にすぎないから、これに終局登記と同様の効力、特にいわゆる対抗力を認め得ないことは当然であろう。しかしながら、仮登記権利者が本登記をなそうとするに当つて、その障害となる処分行為の登記をした者に対し、仮登記のままでその処分行為の無効ないし本登記の権利を主張し得るかどうかは、登記の手続とも関連する極めて困難な問題である。そして、若しこれを積極に解するとすれば、仮登記に一種特別の効力を認めたようなことになるが、この点については説が分れ、判例もしばしば見解を改めている。

そこで、以下大体右の順序に従つて判例の跡をたどり、検討を加えてみたいと思う。

二　順位保存の効力

一　不動産登記法七条二項の意義

不動産登記法七条二項は、「仮登記ヲ為シタル場合ニ於テハ本登記ノ順位ハ仮登記ノ順位ニ依ル」と規定し、仮登記に後日なされるべき本登記のため順位を保存する効力があることを明らかにしている。この規定が、仮登記にもとづいて本登記がなされた場合に、本登記の権利を仮登記後本登記前に生じた一切の他の権利に優先させる、換言すれば仮登記後本登記前になされた中間処分を本登記の権利に抵触する範囲において無効とする趣旨であることは、仮登記の制度が「本登記ヲ為スマテニ多少ノ時日ヲ要スルニ当リ仮リニ登記ヲ為シ以テ優先ノ順位ヲ取得スル便ヲ得シメンカ為メ」に設けられたものであることに徴しても、想像に難くない（法典調査会「不動産登記法案理由書」）。しかしながら、本登記の順位が「仮登記ノ順位ニ依ル」ことが何故右のごとき効果を生ずるのであるか、すなわち仮登記の有する順位保存の効力の実質的内容如何の点は、この規定だけでは必ずしも明確ではない。そこでまず、この点に関する判例の見解を前期と後期とに分けて考察してみることにする。

（一）　前期の判例

順位保存の効力に関する判例の見解は、後に述べる昭和八年三月二八日の大審院判決によつて確定した観があるが、ここではその判決以前の判例がこれをどのように考えているかを、簡単に述べることにしよう。

(1)　この期間の判例のうちには順位保存の効力の意義を詳しく述べたものは見当らないが、比較的多数の判例は、仮登記が本登記のために順位保存の効力を有する結果、仮登記にもとづいて本登記がなされた場合には、その本登記の効力すなわち物権変動の対抗力は、仮登記の当時にさかのぼつて生ずると説明している（次掲〔1〕〔2〕のほか、大判大四・一一・一五民録二一・七、同昭二・五・二八民集六・三一一、大決昭四・七・六民集八・六三八、大判昭七・八・五新聞三四五四・一五等）。従つて、いわゆる中間処分が本登記の権利に牴触する範囲においてその効力を失うのは、本登記がなされるとその権利が仮登記の当時から第三者に対抗し得たこととなるためであつて、この理は、不動産登記法二条二号のいわゆる請求権保全の仮登記についても異らないとしていた（本登記の対抗力がさかのぼるという理論をとる場合に、これをそのまま請求権保全の仮登記にあてはめることが適当であるかどうかは、後に述べるように、問題である）。つぎに掲げる判決はその一例であつて、【1】は同法二条一号の仮登記、【2】は同条二号の仮登記に関するものである。

【1】「仮登記ヲ為シタル場合ニ於テハ本登記ノ順位ハ仮登記ノ順位ニ依ルコトハ不動産登記法第七条第二項ノ規定スル所ナレハ登記権利者カ仮登記ヲ為シタル後本登記ヲ為シタルトキハ其本登記ハ仮登記ノ当時ニ遡リテ効力ヲ生シ仮登記後本登記前ニ登記ヲ為シタル第三者ニ対シテ其ノ権利ヲ主張スルコトヲ得ルモノト解セサル可カラス故ニ不動産ノ売買アリタル場合ニ於テ買主カ売買ニ因ル所有権取得ノ仮登記ヲ為シタル後本登記ヲ為シタルトキハ仮登記ノ当時ニ遡リ其当時既ニ所有権ヲ取得シタリシコトヲ以テ第三者ニ対抗スルコトヲ得ヘク従テ仮登記後本登記前ニ登記ヲ為シタル第三者ニ対シテハ完全ニ自己ノ取得シタル所有権ヲ主張スルコトヲ得ルモノトス」（大判大三・一二・一〇民録二〇・一〇六六）。

【2】「不動産物権売買ノ予約カ成立セル場合ニハ売買完結ノ意思表示ヲ為ス権利ヲ有スル者ハ不動産登記法第二条第二号ニ基キ此ノ権利ヲ保全スル為ノ仮登記ヲ為スヲ得ヘク而シテ他日右ノ不動産物権移転ノ本登記カ為サレタルトキハ此ノ本登記ノ効力ハ仮登記ノ当時ニ遡及スルヲ以テ此ノ時期以後ニ於テ該不動産ニ付為サレタリシ各種ノ処分ニ対シテハ総テ右ノ移転ヲ対抗スルヲ得ヘク……」（大判大一一・六・二三新聞二〇三〇・一九）

(2)　これに対し、順位保存の効力を説明するに当って本登記の効力が仮登記の当時にさかのぼるという表現を用いていない若干の判例も存する（次掲〔3〕〔4〕のほか、大決昭五・二・二二民集九・二二二、同昭六・一一・一三新聞三二四三・一二等）。不動産登記法二条二号の仮登記（請求権保全の仮登記）に関するものが多いが、それらの判決が意識的に右の表現を避けたものであるかどうかは、判文上明確でない。たとえば、

【3】「仮登記ヲ為シタル場合ハ本登記ノ順位ハ仮登記ノ順位ニ依ルコト同法（不動産登記法）第七条第二項ニ規定スル所ナレハ仮登記権利者カ本登記ヲ為シタル以上ハ其登記事項ヲ以テ仮登記後ニ同一不動産上ノ権利ヲ取得シタル者ニ対抗スルコトヲ得ルコト多言ヲ要セス」（大判大四・四・五民録二一・四二七）

ただし、つぎの判決は、不動産登記法七条二項は仮登記の実質的効力を明らかにしたものではなく、

後日なされる本登記の順位に関する登記法上の形式的効力を定めたものにすぎないと述べているが、その趣旨は頗る理解し難い。

【4】「不動産登記法第七条第二項ハ仮登記ヲ為シタル場合ニ於テハ本登記ノ順位ハ仮登記ノ順位ニ依ルト規定スルモ之ヲ以テ仮登記ノ実質的効力ヲ明ニシタルモノト解スルヲ得スシテ却テ後日其ノ本登記ノ為サレタル場合ニ於ケル登記ノ順位ニ関スル登記法上ノ形式的効力ヲ定メ以テ仮登記ノ順位ハ本登記ノ順位ニ依ルコトヲ明カニシタルニ止マルモノト解スヘキモノナルカ故ニ同規定以外ニ仮登記ノ効力ヲ否定セントスル趣旨ナリト解スルヲ得ス」（大判大六・九・二〇民録二三・一四四五）。

もっとも、この部分の論旨は、この判決の結論には直接関係がない。再掲【26】参照。

（二）　後期の判例

(1)　昭和八年三月二八日の大審院判決は、仮登記の有する順位保存の効力を詳細に論じ、従来の判例の見解に修正を加えたものであって、その見解は、後期の判例理論を代表するものとして特に重要である。

この判例によれば、仮登記の効力は不動産登記法二条一号の仮登記の場合と同条二号の仮登記の場合とに分けて、つぎのように説明される。すなわち、（イ）二条一号の仮登記（いわゆる「物権保全の仮登記」）の場合には、本登記がなされるとその順位は「仮登記ノ順位ニ依ル」結果、本登記が仮登記の当時になされたのと全く同一にみなされ、「本登記ノ効力即チ当該物権変動ノ対抗力ハ仮登記当時ニ遡及シテ之ヲ生ス」るから、「仮登記ト本登記トノ中間ニ於テ第三者トノ間ニ為サレタル所謂中間処分ハ此対抗力ヲ致サルル範囲ニ於テ、存在ノ余地ナキニ至ル」。(ロ) これに反し、二条二号の仮登記 (請求権保全の仮登記) の場合には、本登記がなされ、それが仮登記の当時になされたのと全く同一にみなされても、「当事者間ニ物権変動ノ生スヘカリシハ早クトモ請求権ノ実現セラルヘカリシ時 (即チ義務履行期) ナルカ故ニ此ノ時以前ニ遡リテ対抗力ノミ独之ヲ生シ得ヘキ」いわれがないから、仮登記の当時いまだ義務履行期が到来していなかつたときは、本登記の効力は仮登記の当時まではさかのぼり得ず、義務履行期の当時までさかのぼるにすぎない。従つて、義務履行期後本登記前になされた中間処分は、(イ) の場合と同様の理由によつてその効力を失うが、仮登記後義務履行期前になされた中間処分は、右の理由によつてはその効力を失わない。それが効力を失うのは、当該請求権が仮登記によつて保全されていた、換言すれば仮登記によつて「当該請求権自体ノ実現ヲ可能ナラシムルノ素地ヲ予メ成シ置」いたからであつて、二条二号の仮登記はこの点において二条一号の仮登記との間に重要な差異がある。これを要するに、二条一号の仮登記は「本登記ノ対抗力ヲ遡及セシムル効力 (所謂「仮登記ノ順位ニ依ル」)」のみを有するのに対し、二条二号の仮登記はこの効力のほかに「請求権保全テフ効力」をもあわせ有するものであつて、仮登記後本登記前になされた中間処分が本登記の権利に牴触する範囲においてその効力を失うのは、仮登記がかかる効力を有していることの結果にほかならない。

以上が仮登記の本質的な効力である順位保存の効力 (及び「請求権保存テフ効力」) に関するこの判決の見解の大要であるが、これを従来の多数の判例の見解と比較すると、二条二号の仮登記について、本登記の対抗力が義務履行期以前にはさかのぼらないとしたかわりに、「請求権保存テフ効力」なるものを認めたことがその特色であつて、その結果、いまだ義務履行期に達していない請求権の保全の仮登記をした者が、その後物権を取得して本登記をした場合には、従来は仮登記の当時から当該物権を有していたという主張をなし得たのに反し、この判決以後はかかる主張をすることが許されなくなつたわけであり、この判決が従来の判例の見解を変更した実質的な理由も、恐らくこの点にあつたものと思われる。

もつとも、この判決の事案は、右の点に直接関係するものではない。この判決の事案の解決に直接必要であつたのは、むしろ仮登記の有効性を論じたつぎの点である。すなわち、この判決は、二条一号の仮登記と二条二号の仮登記との間に前述のような差異のあることを論じた上で、（イ）すでに物権変動が生じたとして二条一号の仮登記をした者が、本登記請求の訴を提起して「物権変動ハ未タ発生セサルカ故ニ当該登記請求ノ権利亦従ヒテ存在セストノ判決」が確定した場合には、たとえその後に当該物権変動が生じたとしてさらに登記請求の訴を提起し、勝訴の判決を得てその本登記をしたとしても、「仮登記ノ倘抹消セラレサルヲ奇貨トシ之ヲ流用シテ以テ新ニ為サレタル登記ノ対抗力ヲ此仮登記当時迄遡及セシムルコトハ法律ノ許ササルトコロ」であるから、さきの仮登記は何等の効力をも生ずることはない。（ロ）これに反し、二条二号の仮登記をした者が、本登記請求の訴を提起し、「履行期ハ未タ到来セストノ理由」で敗訴した場合には、その後履行期の到来を待つて再び訴を提起し、勝訴の判決を得て本登記をすることができるのであつて、この場合には、その本登記の対抗力は

「後ノ判決ニ依リテ肯定セラレタル履行期当時迄」さかのぼる、と判示したのである。そして、この判決によれば、この判旨は前述の仮登記の効力論ないし「仮登記ノ本義」から必然的に導き出される結論であるかのごとくに説かれているのであるが、この点はいささか疑問であるように思われる。

【5】　「物権ノ設定移転変更ニ必要ナル意思表示ハ已ニ之ヲ了シ従ヒテ当該物権変動ハ已ニ当事者間ニ生シタルモ唯登記申請ニ必要ナル手続上ノ条件カ具備セサル場合（例ヘハ相手方カ登記申請ニ連署セサル場合又ハ申請書ニ添附ス可キ第三者ノ許可同意若クハ承諾ヲ証スル書面カ未調製ナル場合）ニハ仮登記ヲ為スヲ得ヘシ這ハ不動産登記法第二条第一号ノソレナリ反之右ノ如キ意思表示ヲ為ス可キコトヲ請求スル権利アルニ止マリ此意思表示自体ハ未タコレ無ク従ヒテ当該物権変動ハ未タ当事者間ニサヘ生セサル場合ニ於テモ亦仮登記ハ之ヲ為スヲ得ヘシ同条第二号ノソレハ即チ是ナリ今第一号ノ場合ニ於テ他日本登記ヲ為ストキハ其ノ順位ハ仮登記ノ順位ニ依ル（不動産登記法第七条第二項）順位ニ依ルトハ之ヲ具体的ニ云ヘハ登記用紙中仮登記ノ為サレアル相当区事項欄ノ其所ニ其ノ順位ニ於テ其ノ受附ノ年月日及番号ニ於テ本登記カ為サレアルト同一ニ看做サルトノ意ニ外ナラス之ヲ簡言スレハ本登記ノ効力即チ当該物権変動ノ対抗力ハ仮登記当時ニ遡及シテ之ヲ生スルトノ義ニ外ナラス則チ爾ルカ故ニ仮登記ト本登記ノ中間ニ於テ第三者トノ間ニ為サレタル所謂中間処分ハ此対抗力ヲ致サルル範囲ニ於テハ存在ノ余地ナキニ至ルハ当然必至ノ結果ナラスンハアラス例ヘハ所有権移転ノ仮登記及ヒ本登記アリタルトキハ其ノ中間ニ於テ第三者ニ対シテ為シタル所有権移転ヲ始メ他物権ノ設定ハ挙ケテ無効トナルヲ免レサルト共ニ已存他物権ノ移転ノ如キハ寸毫ノ影響ヲ蒙ルトコロ無シ若又抵当権設定ニ付キ仮登記及ヒ本登記ヲ経タルトキハ中間処分トシテ設定セラレタル抵当権ハ次順位ニ下ルノ外無ク而シテ所有権ノ移転若クハ地上権ノ設定ノ如キハソレ自身孰モ有効タルヲ失ハサルモ唯当該抵当権ニハ服スルノ已ムヲ得サルモノアルヘキノミ然ルニ之ト異ニシテ第二号ノ場合ニ在リテハ当該物権変動ハ当該請求権ノ実現（即チ義務

ノ履行）ニ因リテ始メテ当事者間ニ生スルカ故ニ茲ニ至リテ本登記モ亦僅カニ之ヲ為スヲ得ル順序トナル而シテ之ヲ為シタルトキハ所謂順位ハ如何ト云フニ必スシモ仮登記ノソレニ依ルニ非ス即チ請求権ノ実現ス可カリシ時（即チ義務履行期）ト仮登記ノ為サレシ時ト其ノ後ナル時マテ遡リテ本登記ノ対抗力ハ之ヲ生スルモノトス蓋不動産登記法第七条第二項ハ特ニ第二号ノ場合ヲ除外シタリト解スヘキ何等ノ理由モ之ヲ認メ得サルカ故ニ常ニ仮登記当時マテ遡及スルカ如キ観アルモ抑当事者間ニ物権変動ノ生スヘカリシハ早クトモ請求権ノ実現セラルヘカリシ時（即チ義務履行期）ナルカ故ニ此ノ時以前ニ遡リテ対抗力ノミ独之ヲ生シ得ヘキ謂無キト共ニ仮登記スラ無カリシ時ニマテ遡リテ対抗力ヲ生ス可キ所以モ亦之ヲ見ルニ由無ケレハナリ斯クテ此時（遡及ノ時点）以後ニ於テ第三者トノ間ニ為サレタル中間処分ハ右ノ対抗力ヲ致サルル範囲ニ於テ存在ノ余地無キニ至ルコトハ第一号ノ場合ニ於テ述ヘタルトコロニ同シ然ラハ此遡及ノ時点以前ニ於テ第三者トノ間ニ為サレタル物権取引ニ対シテハ又之ヲ如何トモスルニ由無キヤ例ヘハ所有権移転ノ意思表示ヲ為ス可キ時期（即チ履行期）以前ヨリ已ニ仮登記（所謂始期附請求権ノ仮登記）ヲ為シタルヲ以テ本登記ノ対抗力ハ右ノ時期マテハ遡及スル場合ニ此ノ時期以前ニ第三者ニ対シ所有権ヲ移転シ而モ其ノ登記マテ完了シタリトセハ如何曰此種ノ物権取引モ亦右ノ本登記カ為サレタル以上其ノ対抗力ト相容レサル範囲ニ於テ存在ノ余地無キニ至ルヲ免レサルモノトス但シ這ハ対抗力遡及ノ爾ラシムルトコロニ非スシテ別ニ其ノ故アリ抑請求権ソノモノハ対人的ニシテ対世的ナラサルカ故ニ異ナル当事者間ニ同趣旨ノ請求権カ幾多併存スルモ毫モ妨クルトコロ無ク従ヒテ又斯カル併存ヲ防止スヘキ何等ノ必要アルコト無シ例ヘハ或不動産ノ所有者カ之ヲ移転ス可キ旨ノ債権契約ヲ甲ト締結シ又転シテ乙トモ締結スルカ如シ此場合各請求権ハ互ニ相戻ルコト無シト云ハムヨリモ寧ロ戻ト不戻ハ其ノ本質上此際相互ノ間ニ生シ得ヘキ問題ニ非スト云フノ勝レルニ如カス然レトモ其ノ一度或請求権カ実現セラレ茲ニ一ノ物権取引（例ヘハ所有権移転）ヲ見ルニ及ヒテハ総テノ他ノ請求権ハ或ハ損害賠償請求権ニ変形スルハ格別其ノ本旨ニ従フ実現ノ又長ヘニ不能ニ帰スルハ蓋必至ノ運命ナラスンハアラス若シ夫レ右ノ如ク或請求

権ノ実現トシテ物権取引カ為サレシ場合ニ非スシテ始メヨリ直ニ物権取引カ為サレタル場合ニ於テモ亦等ク已存請求ノ実現不能ヲ招来スルハ固ヨリ多言ヲ俟タサルトコロナリ夫レ爾リ今斯カル運命ニ遭フコトヲ避クルニ其ノ途アリヤ曰有リ第二号ノ仮登記即チ所謂請求権保全ノ仮登記ヲ為スコト是ナリ保全トハ何ソヤ他無シ他ノ請求権カ実現セラルル結果本来ナラハ自家ノ実現ハ不能ニ陥ル筈ナルモ仮登記ニ依リテ之ヲ防キ止ムルノ謂ナリ換言スレハ他日或ハ右ノ如キ障害カ生スルコトアルモ尽ク之ヲ排シテ以テ当該請求権自体ノ実現ヲ可能ナラシムルノ素地ヲ予メ成シ置クモノ是ヲ保全ト云フ是故ニ請求権保全ナルモノハ之ヲ結果ヨリ観ルトキハ相対権タル請求権ヲシテ或関係ニ於テハ絶体権化セシムルモノナリト云フモ過言ニ非ス左レハコソ第二号ノ仮登記ハ第一号ノソレニ比シ聊カ効力ノ異ルモノアリテ存スルコトハ之ヲ注意セサル可カラス曰此ハ則チ本登記ノ対抗力ヲ遡及セシムル効力（所謂「仮登記ノ順位ニ依ル」）ヲノミ有スルニ反シ彼ハ此ノ効力ニ兼ヌルニ請求権保全テフ効力ヲ以テスルコト即チ是ナリ之ヲ例示スレハ所有権移転ノ意思表示ヲ為ス可キ時期即チ履行期前ヨリ已ニ仮登記ヲ為シアル以上他日所有権移転ノ本登記ヲ経ルニ及ヒテハ此仮登記以後ニ為サレタル如何ナル物権取引モ本登記ノ対抗力ト相容レサル限リ総テ其ノ影ヲ潜メサルヲ得ス但事ノ玆ニ至ル理由ハ則チ一ナラス曰此対抗力遡及ノ時（履行期）以後ニ於ケル取引カ其ノ効力ヲ失フハ取リモ直サス直接ニ此対抗力ヲ致サルル結果ナルニ反シ此時以前仮登記ノ時マテノ間ニ於ケル取引モ亦竟ニ同一ノ運命ニ帰スル所以ハ則チ保全セラレタル請求権ノ効力ニ外ナラサルモノトス夫レ仮登記ノ義タル上敍ノ如シ故ニ今第一号ノ場合ニ於テハ物権変動ハ已ニ当事者間ニ生シタリト称シテ仮登記ヲ為シ次テ（本）登記請求ノ訴ヲ提起シタルトコロ原告主張ニ係ル物権変動ハ未タ発生セサルカ故ニ当該登記請求ノ権利亦従ヒテ存在セストノ判決確定シタリトセムカ其ノ後ニ至リ新ニ当該物権変動ヲ生シタリトノ理由ニ基キ右ノ原告カ更ニ登記請求ノ訴ヲ提起シタルトキハ如何此訴ニ対シ前ノ判決ハ全然其ノ確定力ヲ及ホササルト共ニ幸ニ勝訴判決ヲ得テ登記ヲ了シ得タリトテ曩ノ仮登記ハ何等ノ効力ヲ生スルコト無シ換言スレハ此仮登記ノ尙抹消セラレタルヲ奇貨トシ之ヲ流用シテ以テ新ニ為サレタル登

記ノ対抗力ヲ此仮登記当時マテ遡及セシムルコトハ法律ノ許ササルトコロナリ蓋此仮登記ハ其ノ当時当事者間ニハ已ニ物権変動カ発生シタリトノ前提ノ下ニ為サレシモノナルヲ以テ後日ニ至リ新ニ発生シタル物権変動ニ基クトコロノ登記トハ素ト因縁ノ毫モ相牽クトコロ無ク此ヲ目シテ以テ彼ニ対スル本登記ト為スヲ得サルト共ニ彼ハ此ノ仮登記ニモ非ス左レハコソ今若シ此ノ登記ノ対抗力ニシテ曩ノ仮登記当時マテ遡及スルモノトセムカ当事者間ニハ未タ如何ナル物権変動モ存セサルニ拘ラス第三者ニ対シテハ早クモ已ニ当該物権者タル地位ヲ対抗スルヲ得ト云フカ如キ結果ヲ生シ事ノ冠履顛倒不合理モ亦極マレルハ殆ント言説ヲ要セサルニ似タリ或ハ云ハム仮登記ノ未タ抹消セラレス登記簿上ニハ則チ儼トシテ存スルヲ奈何曰存スルモ亦可ナリ夫ノ所謂登記公信力ノ制度無キ吾現行法ノ下ニ於テ実在セサル物権変動ニ付キ登記簿上百ノ登記カ存スレハトテ竟ニ一個ノ空名ニ過キサルコトヲ省ルトキ仮登記ノミ独リ爾ラサルノ道理無キハ蓋瞭然タラムナリ然ラハ今第二号ノ場合ハ如何所謂請求権保全ノ仮登記ヲ為シタル原告ハ次テ訴ヲ提起シ履行期ハ已ニ到来シタルカ故ニ被告ハ当該物権変動ノ意思表示ソノモノヲ為シ且其ノ（本）登記ヲ為スヘシト主張シタルトコロ履行期ハ未タ到来セストノ理由ヲ以テ敗訴ノ判決ヲ受ケタリ仍テ原告ハ其ノ後履行期ノ到来スルヲ俟チ再ヒ訴ヲ提起シ幸ニ勝訴判決ヲ得テ（本）登記ヲ為シタル場合ニ其ノ対抗力ハ曩ノ仮登記当時ニマテ遡及スルヤト云フニ爾ラス唯僅ニ後ノ判決ニ依リテ肯定セラレタル履行期当時マテニ及フヲ限度トスルコトハ之ヲ上叙ノ判示ニ稽ヘ輙ク之ヲ領スルヲ得ヘケムナリ但玆ニ一言ヲ附加スヘキハ他事ナラス夫ノ第一号ノ仮登記ハ前ニ述ヘタル場合ニ於テ全然其ノ効力ヲ保持スルヲ得サルニ反シ第二号ノソレハ右ノ如ク或程度マテハ其ノ効力ヲ発揮スルトコロアルハ両者ノ間或ハ権衡ヲ失セサルヤノ感有ルモ爾ラス蓋第二号ノ仮登記ハ請求権ソノモノノ保全ヲ目的トシ而シテ請求権ナルモノハ履行期ノ如何ニ依リテ其ノ同一性ヲ動カサルルコト無キニ想到スルトキハ這般相違ノ存スルコトハ固ヨリ当然ノ結果ニ外ナラサレハナリ」（大判昭八・三・二八民集一二・三七五）。

(2)　その後の判例は、右に述べた昭和八年三月二八日の判決の理論を踏襲している（後掲〔7〕のほか、大判昭九・一二・二八法学四・五・九七等）が、注意を要する若干の判決があるので、それについて述べることにする。なお、最高裁判所のつぎに掲げる判例も右の理論を意識してなされたものと思われ、下級審の判例で右の理論に従つたものは、比較的最近にも見られる（福岡高判昭二七・四・三〇下級民集三・四・六三三、広島高判昭二九・二・五行政例集五・二・三一〇）。

【6】「吉田茂七の相続人吉田勝美が昭和二〇年五月一九日適法な限定承認の申述をしたことは所論のとおりであるが、原審の認定したところによれば、本件土地については、既に昭和一八年一月八日若月のために、所有権移転請求権保全の仮登記がなされ、右仮登記によつて移転登記の順位が保全された所有権は、条件成就により若月に移転し、同人は昭和二五年一一月八日所有権移転登記をしたというのであるから、右条件成就の日以後若月は本件土地所有権の取得をもつて第三者に対抗しうるに至つたものというべく、これと同旨に出でた原判決は正当である」（最判昭三一・六・二八民集一〇・七五四）。

（イ）　つぎに掲げる判決は、所有権移転請求権保全の仮登記のなされている土地を譲り受け、これを他人に賃貸していた者が、その収得した借賃について、その後本登記をした仮登記権利者から不当利得として返還を求められた事案に関するものである。この判決は、別の理由でその請求をしりぞけているが、傍論として、昭和八年の判決の趣旨を繰り返し、請求権保全の仮登記の場合には本登記の対抗力は仮登記の当時までさかのぼらない旨を力説し、この点からも不当利得の成立しないことを暗示してつぎのように述べている。

【7】「夫レ現行法ノ下ニ於テ登記ハ無ヨリ有ヲ生スルノ力無シ先ツ移転請求権ノ仮登記ヲ為シ他日移転自体カ当事者間ニ生シタル上ニテ移転登記ヲ為シタレハトテ此ノ登記ノ効力カ曩ノ仮登記当時ニ遡リ所有権ハ此時ヲ以テ当事者間ニ移転シタリト主張スルヲ得テフ道理カ何レノ時何レノ処ニカ存スヘキヤ唯夫ノ条件不備ノ

仮登記（不動産登記法第二条第一号）ハ則チ爾ラス何者此場合ニハ所有権ハ当事者間ニ於テ已ニ完全ニ移転セルヲ以テナリ本登記ニ因リ遡及シテ対抗力ヲ生スルハ取リモ直サス此種仮登記ノ場合ニノミ限ラルル効力ニ外ナラス夫ノ請求権ノ仮登記ニ至リテハ其効力痛ク此ト異リ這ハ元来一個ノ相対的請求権ニ賦与スルニ物権的効力ヲ賦与スルニ在リ物権的効力ヲ賦与スルトハ他無シ当該請求権ノ実現ヲ妨クルアラユル取引ヲ無視スルヲ得テ以テ徐々ニ当該物権変動ノ実現ニ資セントスルニ在リ是故ニ物権変動自体ノ対抗力ヲ遡及セシムルカ如キハ此場合固ヨリ以テ論外ト為ス夫レ仮登記自身ハ孰ノ場合モ独立ノ意味ヲ有セス必ス他日ノ本登記ヲ俟チテ以テ仮登記当時ニ遡リテソレソレ特有ノ効力ヲ発揮スルハ則チ孰レノ仮登記ニ於テモ択フ所無シ本登記ハ仮登記ノ為メニハ実ニ画竜点睛ナリ不動産登記法第七条第二項ニ「仮登記ヲ為シタル場合ニ於テハ本登記ノ順位ハ仮登記ノ順位ニ依ル」トアルハ此義ニ外ナラス主トシテ同法第二条第一号ノ仮登記ヲ眼中ニ於ケル如キ立言ハ則チ甚タ拘ラサルヲ可トス」（大判昭一二・二・二六民集一六・一八四）。

ただ、この判決においては、本登記の対抗力が義務履行期までさかのぼることは全然述べられていず、かえつて「其対抗力ハ移転登記ヲ為シタル同月九日ヨリ之ヲ生シタルニ止マリ夫ノ仮登記当時ニ遡ラサルハ論ヲ俟タス」とされているので、請求権保全の仮登記の場合には本登記の対抗力がさかのぼることを全く否定した趣旨のようにも解されないではない。しかしながら、本件はそれによつて結論を異にする事案ではないのみならず、この判決が昭和八年の判決を引用して説明しているところを見ると、この先例に従つたものと解するのが相当であろう。

ところで、右の事案において、若しその仮登記が不動産登記法二条一号の仮登記であつた場合にはどうなるか。昭和八年の判決及び右の判決の趣旨からすれば、その場合には本登記の対抗力がさかのぼる結果、不当利得の成立を認めざるを得ないこととなろう。しかしながら、実際上かかる結果を認めることが妥当であるかどうかは、かなり問題であつて、つぎの下級審の判決は、不当利得に関するものではないが、本登記がなされることによつて本登記前の賃貸借関係が影響を受けることを否定し、判例の理論と反対に二条一号の仮登記の場合にも本登記の対抗力がさかのぼらないとしている。

【8】「凡ソ物権変動ニ関スル仮登記ハ単ニ右ニ基キ将来為サルヘキ本登記ノ順位ヲ保全スルノ効力即チ本登記為サルルニ及ンテ始メテ其ノ順位ニ於テ仮登記当時ニ当該物権変動ニ付キ本登記カ為サレタルト同一ノ効力ヲ生スルニ過キス当該物権変動ニ付キテノ対抗力自体ハ本登記ノ為サレタル時ニ始メテ生スルモノニシテ仮登記ノ為サレタル故ヲ以テ右対抗力カ仮登記当時ニ迄遡ルモノニハ非ス即チ本登記当時ニ於テ其ノ登記ノ内容ニ抵触スル権利アルトキハ右本登記ノ結果自カラ爾後ノ存在ヲ排除セラルルヤ勿論ナルモ仮登記後本登記前ニ成立セル権利関係ハ本登記ノ為サルルコトニヨリテ実質上何等ノ影響ヲ受ケサルモノト解スヘキヲ以テ仮令被控訴人主張ノ如ク本登記為サレタレハトテ仮登記後本登記前有効ニ存続シタル訴外西入ト被控訴人等ノ間ノ賃貸借契約ニハ毫モ影響ナシ」（東京地判昭一四・五・一二新聞四四二六・一七）。

なお、事案は異るが、つぎの下級審の決定も、本登記が仮登記の当時になされたものと擬制されるのは「単ニ登記順位保全ノ点ニ付テノミ然ルモノ」であるとし、本登記前の法律関係は本登記のなされることによつて影響を受けないとする。事案は、所有権移転の仮登記のなされている建物について、その収去を求める訴訟の係属中、右の仮登記にもとづく本登記をした仮登記権利者に当該訴訟を引き受けさせることができるかどうかに関するものであるが、右の決定は、本件は「訴訟ノ係属中第三者カ其ノ訴訟ノ目的タル債務ヲ承継シタルトキ」（民訴七四条）に該当するとして、本登記をした仮登記権利者に訴訟の引受を命じたものである。

【9】「不動産ニ関スル物権ノ設定移転ニ付仮登記ヲ為シタル場合ニ於テハ本登記ノ順位ハ仮登記ノ順位ニ依ルヘキコトハ不動産登記法第七条第二項ノ規定スルトコロニシテ石橋清平ハ係争建物ニ付前記昭和八年十二月十三日所有権取得ノ本登記ヲ受ケタルコトニ因リ其登記順位ハ仮登記ノ日タル大正十五年五月十八日ニ遡リ其本登記アリタルモノト擬制セラルヘキモノナリト雖モ形ハ単ニ登記順位保全ノ点ニ付テノミ然ルモノタルニ過キスシテ所有権取得ノ一切ノ効力ヲ仮登記ノ日ニ遡リテ対抗シ得ルノ効力ヲ生シタルモノト謂フヲ得ス従テ右石橋ハ第三者タル被控訴人ニ対シテハ右本登記ノ日以後ニ於テノミ前記仮登記ノ日ニ所有権ヲ取得シタルコトヲ主張シ得ルニ止マリ被控訴人ハ右本登記ノ為サルル以前ニ於テハ石橋ノ所有権取得ヲ有効ニ否定シ得タルモノト謂ハサルヘカラス然ラハ被控訴人ニ対スル関係殊ニ本件訴訟ノ関係ニ於テ石橋ハ訴ノ繋属中係争建物ノ所有権ヲ取得シタルモノト謂フヘキモノトス」（東京控決昭九・一二・一九新聞三八三四・二〇）。

このように、本登記が本登記前の法律関係に影響を及ぼすかどうかの判断において、下級審の裁判が判例の理論と対立する傾向にあることは、判例の理論の当否を考える上において特に見のがし得ない点であろう。

なお、仮登記が本登記の対抗力をさかのぼらせる結果、本登記が本登記前の法律関係にも影響を及ぼし得るという判例の考え方は、大判昭一四・一一・二五民集一八・一四六一からもその一端をうかがうことができる。

（ロ）つぎに掲げる判決は、条件附物権についても一般の規定に従つて通常の登記、すなわち終局登記をなし得るとの前提の下に、(a) まず条件附物権保全の仮登記（不登二条一号）をなし、ついでその本登記をした場合には、その条件附物権は仮登記の当時にさかのぼつて第三者に対抗し得る、また、(b) 条件附物権保全の仮登記をなし、条件が成就した後直ちに(無条件)物権取得の本登記をした場合には、当該物権変動を条件成就以前にさかのぼつて第三者に対抗することはできないが、条件附物権の取得を仮登記の当時にさかのぼつて第三者に対抗することはできる(その結果、仮登記後相手方のした処分行為でこの権利を侵害するものは民法一二八条によつて無効となる)、と判示する。昭和八年の判決の理論を条件附物権の登記に応用したものであるが、条件附物権についても終局登記をなし得るという前提には反対説が多く、後の判例もこの前提を維持していないように思われるので、これら判決が今日どれほどの価値を有するかは、疑問である。

【10】 「今民法第百二十九条ノ法意ヲ一貫スルトキハ先ツ条件附物権ソノモノノ仮登記ヲ為スヲ得ヘク次ニ之ニ対スル本登記ヲ経タル上最終ニ条件成就スルニ及ヒテ其ノ旨ノ登記(或ハ附記ニ依ルカ或ハ物権変動自体ノ登記ニ依ルカハ別問題ナリ)ヲ為ストキハ夫ノ民法第百二十八条ノ権利ハ仮登記当時ニ遡及シテ対抗シ得ラレ而シテ当該物権変動自体ノ対抗力ハ則チ所謂其ノ旨ノ登記ニ因リテ之ヲ生ス以上ハ寧ロ睹易キノ理ナリ然レトモ前叙本登記ハ之ヲ為スコト無ク条件成就ヲ俟チテ当該物権変動自体ノ登記ヲ為ストキハ是亦右ト同様ノ効果ヲ生シ物権変動自体ノ対抗力ハ此ノ登記ニ因リテ始メテ之ヲ生スルト共ニ民法第百二十八条ノ権利ハ仮登記当時ニ遡及シテ之ヲ対抗シ得ラルルニ至ルハ必シモ多言ヲ俟タサラムナリ左レハ今所有権移転ノ場合ニ付之ヲ弁説セムニ停止条件附所有権ノ仮登記アリタル後停止条件成就シ玆ニ所有権移転ノ効力ヲ生スルニ及ヒ之カ登記ヲ為シタルトキハ此ノ所有権移転ハ条件成就以前ニ遡リテ之ヲ第三者ニ対シ得サルハ勿論ナルモ所謂条件附所有権則チ民法第百二十八条ノ権利ハ仮登記当時ニ遡及シテ第三者ニ対抗シ得ルノ結果仮登記以後前記登記迄

ノ間ニ相手方ノ為シタル処分行為ニシテ条件附所有権ヲ侵害スヘキモノハ仮令条件成否未定ノ間ニ為サレタリトスルモ権利者ヨリ之カ無効ヲ主張シ得ヘキモノト云ハサルヘカラス」（大判昭一一・八・四民集一五・一六一六）。

条件附賃借権につき同旨（大判昭一一・八・七民集一五・一六四〇）。

(三) 判例理論の検討

以上の概観によつて明らかなように、仮登記の順位保存の効力に関する判例の現在の基本的な考え方は、昭和八年八月二八日の大審院判決に示されていると思われるので、この判決に示された見解を中心に、判例の理論を検討してみよう。

ところで、判例の理論に対しては、賛成の意見もあるが（吾妻・判民昭八・三一事件、福井・判民昭六・一事件等）、学説はおおむね批判的である。

(1) まず、本登記の対抗力がさかのぼらないとする立場から、つぎのような根本的な批判が下されている（板木「不動産登記法第七条第二項の意義」立命館三十五周年記念論文集法経篇二八〇以下、末川・民商五・三・五九二以下、杉之原「不動産登記法」九九以下、舟橋「不動産登記法」新法学全集八二以下等。以上の所説は、説明の方法において若干異るが、趣旨はいずれも同一であるので、一括して紹介する）。すなわち、判例は不動産登記法七条二項にいわゆる「本登記ノ順位ハ仮登記ノ順位ニ依ル」とは、本登記が仮登記の当時になされたのと同一にみなされるという意味であり、その結果本登記の対抗力は仮登記の当時までさかのぼると説明しているが、右の規定は単に本登記の順位のみが仮登記の順位にさかのぼる、換言すれば本登記の順位を決定する基準を仮登記の当時にとるという意味であつて、その結果本登記はそれが仮登記の当時になされたのと同一内容の対抗力を生ずることになるが、その対抗力自体は一般の原則に従つて本登記の時から生じ、仮登記の当時にさかのぼつて生ずるものではない。若し判例のように七条二項の規定の意味を本登記が仮登記の当時になされたのと同一にみなされるという趣旨に解すると、

（イ）第一に、本登記の対抗力が仮登記の当時にさかのぼつて生ずる結果、本登記の権利は仮登記の当時から第三者に対抗し得たこととなり、本登記がなされることによつて本登記前の法律関係にも影響を及ぼすことになるが、かかる結果を認めることは妥当でなく、

（ロ）第二に、不動産登記法二条二号の請求権保全の仮登記の場合には、たとえ本登記が仮登記の当時になされたのと同一にみなされるとしても、その当時にはいまだ物権変動が生じていなかつたのであるから、本登記の対抗力がその当時までさかのぼるという結論は当然には得られない。その結果、仮登記をしておいたことは無意味に帰し、七条二項の規定の意義を十分に活かし得ない。

従つて、かかる考え方を基本とする判例の理論は不当である、とするのである。

判例が、指摘された二つの欠陥のうち（イ）は規定の解釈上当然の結果であるとし（ただし、下級審の判決はその結果を認めず）、（ロ）に関しては「請求権保全デフ効力」なるものを認めることによつてこれを補つていることは、すでに見たとおりである。

(2)　他方、判例のように本登記の対抗力がさかのぼることを認める見解も必ずしも少くないが、その場合にも、不動産登記法二条二号の請求権保全の仮登記についてこれをいかに解すべきかは、説が分れている。

（イ）多くの学説は、前期の多数の判例の見解と同様、請求権保全の仮登記の場合を区別すること

なく、本登記の対抗力は常に仮登記の当時までさかのぼるとしており（末弘「物権法上」一三七、田島「物権法」八五、柚木「判例物権法総論」二二一等）、判例の理論に対しては、本登記の対抗力は不動産登記法七条二項の規定によって請求権時代までさかのぼり得るから、判例のように仮登記に二種の効力を認める必要はないと主張する（柚木・前掲）。しかしながら、請求権保全の仮登記の場合において、いまだ物権変動の生じていなかった仮登記の当時にまで本登記の対抗力がさかのぼり得ると解することは、理論上も実際上も妥当を欠くので、この点はむしろ判例の理論の方が勝つているように思われる。

（ロ）　判例のように請求権保全の仮登記の場合には本登記の対抗力が仮登記の当時までさかのぼらないとする学説は極めて少いが、これに属するものとしては、(a) 本登記の対抗力は請求権の義務履行期以前にさかのぼらないとするもの（石田「物権法論」二〇一、前田「仮登記と第三取得者」法曹七・一一・四七以下、なお、前者は、本登記の順位が義務履行期以前にさかのぼらないと説明するが、それは本登記の対抗力の趣旨であると推察される（たとえば、石田「担保物権法論」上二八〇参照））と、(b) 本登記の対抗力は当該請求権にもとづいて物権変動の生じた時までさかのぼるにすぎないとするもの（中川・法学四・七・八一九以下、同七・八・九八三以下）との二つが存する。(a) 説が仮登記の効力の生ずる期間を義務履行期以後に限ったのは、それが「請求権ヲ保全」（不登二2）するとの法意に適合する（？）という趣旨からであり（前田・前掲四八）、(b) 説がその期間を物権変動以後に限ったのは、事実に反する主張を許さないという趣旨のようであるが、その結果仮登記権利者の保護は大いに失われることになるので、これらの説はいずれも請求権保全の仮登記の実益を抹殺するものであるとして非難されている（板木・前掲二八二、舟橋・前掲八三）。これに反し、判例の理論は、右の (a) 説を修正し、別に「請求権保全テフ効力」なるものを認め、完全に仮登記権利者の地位を保護しているので、かかる非難を免れている。ただ、判例の理論で疑問に思われるのは、本登記の対抗力が義務履行期までさかのぼるとされている点である。ここは当然現実に物権変動が生じた時までさかのぼるとしなければならないところであつて（舟橋・前掲八四、柚木・前掲二二〇）、物権行為の独自性を認めない判例の立場からは両者を同意義に用いたと解する説も存するが（板木・前掲二八七）、少くとも用語として妥当を欠くものであることは、否定し得ないであろう。

(3)　以上を要するに(1)に掲げた――本登記の対抗力がさかのぼらないという――見解は、仮登記の目的は後日なされるべき本登記の権利の保全に尽きるものであるとし、仮登記の効力もその目的に必要な限度においてのみ認めるべきであるという考え方に立脚するものであつて、最も合理性を主張し得るように思われる。判例は、規定の解釈上本登記の対抗力がさかのぼることを認めざるを得ないとしているが、不動産登記法七条二項の規定は、必ずそのように解すべきものであるかどうか、疑問である。すなわち、不動産登記法六条一項は「同一ノ不動産ニ関シテ登記シタル権利ノ順位ニ付キ法律ニ別段ノ定ナキトキハ其順位ハ登記ノ前後ニ依ル」と規定しているが、ここにいう「権利ノ順位」とは権利相互間における効力の優先関係を意味するものであつて、他方、七条二項は「本登記ノ順位ハ仮登記ノ順位ニ依ル」と定めているが、ここにいう順位も登記された権利の順位と解し、六条二項の「別段ノ定」の中には――民法三三九条のごとき実体法上の規定はもとより――右の七条二項の規定も入るものと考えられないではない（板木・前掲二八四以下）。(1)に掲げた見解によれば、不動産登記法七条二項の規定はこのような趣旨に解すべきものと主張される。

なお、昭和八年の大審院判決が仮登記の有効性について論じている点は、不動産登記法二条一号の仮登記と同条二号の仮登記との本質的な差異を理由として、同条二号の請求権保全の仮登記をなすべきにかかわらず同条一号の仮登記をした場合には、その仮登記は無効であるとの前提に立つものと思われるが、物権変動の時期については実際上も明確でない場合が多いのであるから、かかる前提を認めることの適否は極めて疑問とされている（杉之原・前掲九四・九五）。若し(1)の見解のように仮登記の効力を一元的に説明するとすれば、二条二号の仮登記をなすべき場合に同条一号の仮登記がなされたとしても、これを有効と解することは比較的容易になろう。

二　中間処分の失効

一において述べたように、仮登記が順位保存の効力――又はさらに「請求権保全テフ効力」――を有する結果として、仮登記にもとづいて本登記がなされた場合に、仮登記後本登記前になされた中間処分が本登記の権利に牴触する範囲においてその効力を失うべきことは、理由のいかんはともかくとして、判例の常に認めるところである。そこで、これが具体的事件に適用される若干の事例を、参考までにつぎに掲げておこう。

(一)　所有権移転請求権保全の仮登記とその本登記との間において、第三者に所有権の移転がなされている場合――本登記をした者はその所有権の取得を右の第三者に対抗し得る。前掲【3】は、かかる事案に関するものである。

(二)　所有権移転の仮登記とその本登記との間において、抵当権の設定及びその実行のための競売開始決定がなされた場合——本登記後は、抵当権の設定は無効となり、競売手続は続行し得なくなる。従つて、競売開始決定も取消を免れない。

【11】「不動産登記法第七条第二項ニ依レハ仮登記ヲ為シタル場合ニ於テハ本登記ノ順位ハ仮登記ノ順位ニ依ルヘキモノナルカ故ニ所有権取得ノ仮登記アリタル後登記簿上所有名義人トナレル者カ債権者ノ為ニ抵当権ヲ設定シ其ノ抵当権ノ実行トシテ抵当不動産カ競売ニ付セラルルモ仮登記ヲ受ケタル者カ所有権取得ノ本登記ヲ了シタルトキハ抵当権ノ設定ハ其ノ効ナキコトトナリ競売手続ハ最早之ヲ続行スルコトヲ得サルモノト云ハサルヘカラス」（大決昭八・七・二二新報三三七・一五）。

（三）所有権移転の仮登記とその本登記との間において、強制競売開始決定がなされた場合——本登記後は、強制執行を続行し得ない。

【12】「本件ニ付キ原審ニ於テ確定シタル事実ニ依レハ上告人ハ訴外大津熊吉ヨリ係争不動産ヲ買受ケタル旨ノ仮登記ヲ為シタル後之ニ基ク本登記ヲ為シ其仮登記後本登記前ニ被上告人ハ大津熊吉ニ対スル債権ニ基ク強制執行ノ為メニ係争不動産ニ対スル強制競売手続開始ノ決定ヲ受ケ其決定ニ基ク登記アリタルモノナリ然レハ若シ果シテ上告人カ其仮登記ノ当時真実売買ニ因リ既ニ係争不動産ノ所有権ヲ取得シタルモノトセンカ其権利保全ノ為メニ為シタル仮登記ハ後ニ為シタル本登記ト相俟テ完全ニ其効力ヲ発生シ上告人ハ仮登記ノ当時既ニ其所有権ヲ取得シタリシコトヲ以テ被上告人ニ対抗スルコトヲ得ルモノト謂ハサル可カラス従テ本件係争ノ不動産ハ既ニ上告人ノ所有ニ帰属シタルト同時ニ大津熊吉ハ之ヲ所有セサルモノトシ同人ニ対スル債権ニ基ク強制執行ハ之ヲ続行ス可カラサルモノトシテ本訴異議ノ主張ヲ是認スルヲ正当ナリト論断セサルヲ得ス」（大判大三・一二・一〇民録二〇・一〇六四）。

（四）所有権移転請求権保全の仮登記とその本登記との間において、仮差押がなされている場合——

―本登記後は、強制競売をなし得ない。

【13】「所有権移転請求権保全ノ仮登記アリタル後所有権移転ノ本登記アリタル場合ニハ其ノ本登記ハ仮登記ノ順位ニ於テ効力ヲ有スヘク仮登記当時未タ所有権移転ナキノ故ヲ以テ此ノ効力ヲ否定スヘキニアラス従テ此ノ場合ニ両登記ノ中間ニ旧所有者ノ債権者カ為シタル仮差押ノ登記アリタリトスルモ本登記アリタル後ニ於テハ其ノ債権者ハ旧所有者ニ対スル債権ノ為該不動産ニ対シ強制競売ヲ為シ得ヘキモノニ非ス蓋本登記カ仮差押登記ニ先立チ仮登記ノ順位ニ於テ効力ヲ有スルノ結果不動産所有権カ仮差押執行ニ先立チテ債務者ニ非サル新所有者ニ帰シタルコト登記簿上明ニシテ如此場合ニ右強制競売ノ許スヘカラサルコト民事訴訟法第六百五十三条ニ徴シ明ナレハナリ」(大決昭五・一二・一二民集九・一二一二)(杉之原・判民一七事件六一は、判旨に賛成する。)。

(五)　所有権移転請求権保全の仮登記とその本登記との間において、処分禁止の仮処分がなされている場合――本登記をなすことを妨げず、本登記をした者はその所有権の取得をもつて仮処分権利者に対抗し得る。

【14】「仮登記ハ後日為スヘキ本登記ノ順位ヲ保全スルモノナレハ或土地ニ付キ所有権移転ノ請求権保全ノ仮登記アリタル後其土地ニ付キ他ノ債権者ノ為メ処分禁止ノ仮処分アルモ之カ為メ本登記ヲ為スノ妨ト為ルモノニ非ス何トナレハ若シ之ヲ妨クルモノトセハ仮登記ヲ為シタルハ全ク無用ニ帰シ法律カ特ニ仮登記ヲ許シタル精神ニ反スルニ至ルヘケレハナリ」(大判大六・七・五民録二三・一〇九六)。

【15】「左レハ原裁判所ノ確定スル如ク大正九年四月二十日訴外佐藤春次郎ハ本件不動産ニ付売買ノ予約ニ基ク権利保全ノ仮登記ヲ為シ翌十年八月二十五日ニ至リ右売買ニ依ル所有権移転ノ本登記ヲ為シタルカ先是大正九年十一月二日被上告人ノ為ニスル処分禁止ノ仮処分命令アリ翌三日其ノ登記カ為サレタリト云フ事実ナル以上前記訴外人ノ所有権取得ハ之ヲ以テ前記仮処分命令ヲ得タル被上告人ニ対抗スルヲ得ヘキモノナルコトハ

以上ノ判示ニ徴シ疑ヲ容レサルトコロナルニ拘ラス原裁判所カ之ト反対ノ判断ヲ為シタルハ失当ニシテ……」（大判大一一・六・二三 新聞二〇三〇・一九）。

(六)　所有権移転の仮登記とその本登記との間において、その目的たる不動産が破産財団に組み入れられた場合——本登記をなすことを妨げず、本登記をした者はその所有権の取得を破産債権者に対抗し得る。

【16】「破産法第五十五条第一項ニハ不動産又ハ船舶ニ関シ破産宣告前ニ生シタル登記原因ニ基キ破産宣告ノ後為シタル登記又ハ不動産登記法第二条第一号ノ規定ニ依ル仮登記ハ之ヲ以テ破産債権者ニ対抗スルコトヲ得スト規定スルヲ以テ不動産ニ関シ破産宣告前ニ生シタル登記原因ニ基キ破産宣告前ニ為シタル所有権取得ノ仮登記ハ之ヲ以テ破産債権者ニ対抗シ得ルコト明ナリ従テ此ノ如キ仮登記権利者ハ登記義務者カ本登記前ニ破産宣告ヲ受ケ其ノ目的タル不動産カ破産財団ニ組ミ入レラレタル場合ニ於テハ破産管財人ニ対シ仮登記ニ依リ保全シタル権利ニ付本登記手続ヲ請求シ得ルモノト解セサルヘカラス」（大判大一五・六・二 九民集五・六〇七）（加藤正治・判民七七事件四一三は、判旨に賛成する）。

(七)　最後に、仮登記後本登記前になされた処分が本登記すべき権利に優先する結果、その処分がなされることによって逆に仮登記の方が失効する場合の例を挙げておこう。

(1)　所有権移転の仮登記前抵当権設定の登記がなされている不動産が、その抵当権の実行によって競落された場合——競落人は完全に所有権を取得し、仮登記権利者は仮登記した所有権を主張する余地なきに至る（大判大七・三・二七 民録二四・四六〇）。右のごとき不動産が民事訴訟法による強制競売によって競落された場合にも、それが抵当権の実行たる効果を生ずる以上、やはり同様である。

【17】「凡ソ登記ヲ為シタル抵当権者ノ権利ハ其後ニ至リ第三者ノ為メニ為サレタル所有権取得ノ仮登記ニ

因リ何等其ノ効力ヲ制限セラルヘキモノニ非サルカ故ニ右抵当権者ノ申立ニ因リ其抵当権カ競売セラレ競落許可決定確定シタル場合ニ於テハ其競売カ民事訴訟法ニ依ル競売タルト将競売法ニ依ル競売タルトヲ問ハス右第三者ハ競落人ニ対シ自己ノ仮登記ニ係ル所有権ヲ主張シテ其ノ競落ニ因ル所有権取得登記ノ抹消ヲ請求スルヲ得ス競落人ハ完全ニ其所有権ヲ取得スルモノト解スルヲ相当トス」（大判昭二・一一・一一民集六・六三八）（我妻・判民九六事件四六五頁は、判旨に賛成する。）

(2)　所有権移転の仮登記のなされている土地が収用された場合――収用は完全にその効力を生じ、仮登記は無効に帰する。

【18】「仮登記ノ為サレアル土地ニ対シテハ何人ヲ所有者トシテ収用手続ヲ遂行スヘキヤト云フニ他ナシ……第三者ヨリ之ヲ観レハ従来ヨリノ所有者タル仮登記義務者カ取リモ直サス依然タル所有者ナルニ於テ凡ソ収用ノ手続ハ此人ヲ以テ所有者トシテ之ヲ遂行スヘキ事何ノ疑カコレ有ラム……仮登記ハ他日本登記ノ為サルルコトヲ条件トシテ仮登記権利者ノ為メニ関係的処分禁止ノ効力ヲ生ス之ヲ詳言スレハ仮登記後当該不動産ニ付第三者トノ間ニ行ハルル各般ノ物権変動（所謂中間処分）ハソレ自体有効ナルヲ失ハサルト共ニ一旦本登記カ為サルルニ及ビテ此等物権変動ハ本登記権利者ニ対抗スルヲ得サルニ至ルモノ之ヲ仮登記ノ効力トナス今土地収用法ニ依ル収用ハ公共ノ利益ト為ルヘキ事業ノ為メ其ノ所要ノ土地ヲ収用スル必要アル場合ニ行ハルルモノナルカ故ニ当該土地ニ付已ニ或人ノ為メニスル所有権移転ノ登記カ存スル場合ト雖之ヲ行フヲ得ルハ論ナキノミナラス収用後右ノ仮登記ニ対スル本登記カ或ハ為サレタレハトテ之カ為メ俄ニ夫ノ関係的処分禁止ノ効力ヲ発生シ嚢ノ収用ハ之ニ対抗スルヲ得サルニ至ルト云フカ如キ道理ノ有ルヘカラサルハ公益上収用ナル制度ヲ認メタル法意ニ照シ殆ント自明ノ数ナラスンハアラス否正ク云ヘハ右ノ本登記ノ如キハ抑之ヲ為スヘキ又為シ得ル限リニアラス仮ニ登記手続上何等カノ経緯ニ依リ偶々斯カル本登記カ為サレタレハトテ幵ハ固ヨリ寸効アルコト無シ蓋シ本登記ナルモノハ仮登記ト相俟チテ関係的処分禁止ノ効力ヲ発生スレハコソ之ヲ為スノ意味モアレ今ヤ収用ニ因ル物権変動（一ノ中間処分）ノ絶対性ニ圧倒セラレテ夫ノ効力ノ如キハ又発生ノ余地ヲ留メサ

ルニ於テ本登記ヲ為スハ此際一片徒爾ノ挙ニ過キサレハナリ」（大判昭一〇・三・五民集一四・五三九）。

この判決は、仮登記の効力が収用によって消滅することは「公益上収用ナル制度ヲ認メタル法意ニ照シ」当然であるとするものであって、この結論は一般にも、私法上の原則が公益上の理由に基く制限を受ける一例であり、収用に絶対的効力を与えんとした法律の趣旨にも適合するものとして、是認されている（山田・判民三九事件一六三、舟橋・民商二・四・六四三等。ただし、収用手続において仮登記権利者を関係人に加えるべきかどうか及び仮登記権利者は収用手続がいかなる段階に達するまで有効に本登記をなし得るかについては、若干疑問がある。仮登記権利者は関係人に含まれず、収用の時期まで有効に本登記をなし得ると解すべきであろうか。）。

三　警告的効果

仮登記は本登記のために順位保存の効力を有するので、本登記前においてもそれは第三者に対して警告的な意味を有し、第三者といえども時に仮登記の存在を無視し得ない場合を生ずる。判例はこのことを説明して次のようにいう（大判昭二・五・二八民集六・三一二）。「已ニ仮登記アルトキ将来或ハ本登記ノ為サルルコトニ依リテ仮登記当時ヨリ已ニ当該物権ヲ有セシモノトシテ之ヲ待タサル可カラサルカ故ニ或場合ニハ仮登記アル権利者ヲ以テ恰モ当該物権者ナルカノ如キ取扱ヲ為スノ必要ヲ生ス蓋若シ然ラサレハ仮登記カ一ノ保全方法タルノ意味ハ殆ント没却セラルヘケレハナリ」。しかしながら、仮登記は本登記（終局登記）のように対抗力を有するものではないから、右のような取扱をなすに当っては仮登記権利者の保護が過当にならないように注意する必要がある。従って、「之ヲ要スルニ此ノ取扱ハ予メ他日ノ万一ニ備ヘ以テ遺漏ナキヲ期スルノ目的ニ出スルモノニ外ナラサルヲ以テ仮登記アル権利者ノ待遇ハ此ノ目的ヲ遂クルニ必要ナル限度ニ達セサルヘカラサルトトモニ又此ノ限度ヲ超ユヘカラス……要ハ各事項ニ付其ノ宜シキニ適スル処置ヲ採ルニ在リ」。

そこで、いかなる場合に仮登記に右のような効果――ここにいわゆる「警告的効果」――が認められるかの問題を、ここで一応取り上げることにする。けだし、その効果自体は仮登記の効力の内容を成すものではないが、かかる問題を生ずるのは仮登記に順位保存の効力が認められるためであつて、仮登記の効力を問題とする場合にこの点を全く不問に附することは適切でないと考えられるからである。

(一)　抵当不動産につき所有権、地上権又は永小作権の取得の仮登記をした者は、民法三七八条の第三取得者に該当するか。

(1)　判例の変遷

この問題は（イ）かかる仮登記権利者は民法三七八条の規定により抵当権の滌除をなし得るかどうか及び（ロ）かかる仮登記権利者には同法三八一条の規定により抵当権実行の通知をなすことを要するかどうかの二つの問題を包含するが、判例は、三七八条の第三取得者の範囲と三八一条の第三取得者の範囲とは同一でなければならないという見地から、この二つの問題を統一的に解決しようとする。

すなわち、判例は当初、仮登記権利者には三七八条の滌除権がないとしていたが（大決大五・五・三〇民録二二・一〇・七八）、次いで抵当権実行通知の要否について動揺の後（大決大一三・八・二民三・四六七は要するとし、大決大一三・八・二八新聞二三〇六・六は要しないとする）、通知を要するとなすに及んで（大決大一四・一・二四新聞二三七五・一九）、仮登記権利者もまた完全な滌除権を有するとなすに至つた【19】

【20】）。

【19】「仮登記ヲ受ケタル者ハ現在ハ未ダ第三者ニ対抗シ得ル物権ヲ有セズ若シ単ナル請求権ヲ有スルニ過キスト雖モ他日或ハ為サルルコトアル可キ本登記ニ因リ其ノ已ニ取得セル若ハ将ニ取得セムトスル物権ヲ遡及シテ第三者ニ対抗スルヲ得ルニ至ルヲ以テ此ノ点ヲ省ミ凡ソ所有権地上権若ハ永小作権ノ仮登記ヲ受ケタル者ハ之ヲ待ツニ同法（民法）第三百八十七条所掲ノ第三取得者ヲ以テスルコト実ニ当院判例ノ趣旨トスルトコロナリ」（大決昭四・七・六民集八・六三九）。

なお、本件は、抵当権実行通知を受けた仮登記権利者が民法三八二条による滌除の手続をしたのにかかわらず、抵当権者がこれを無視して競売を申し立て、競売開始決定がなされたので、仮登記権利者が滌除金額を供託した上で右の決定に対して抗告をした事件に関するものである。

【20】「民法第三百七十八条ニ所謂第三取得者中ニハ当該権利ニ付仮登記ヲ為シタル者モ亦之ヲ包含シ従ヒテ此等第三取得者ト雖亦滌除権ヲ有ストノコトハ当院ノ判例トスルトコロニシテ（大正十三年（ク）第四百二号事件同年八月二日決定昭和三年（ク）第八百二十八号事件同四年七月六日決定）仮登記ヲ為シタル者カ爾後本登記ヲ為スニ非サレハ滌除権ヲ有セスト云フカ如キコトハ毫モ此ノ判例ノ趣旨トスルトコロニ非ス蓋這ハ当然ノコトニ属ス何者第三取得者ニ対シ抵当権ノ実行ヲ通知スル所以ノモノハ此等ノ者ニ於テ滌除ヲ為スノ機会ヲ与ヘンカ為ニ外ナラサルヲ以テ此ノ通知ハ之ヲ為スヲ要スルモ滌除権ハ之ヲ与ヘストノコトハ殆ント意味ヲ成ササレハナリ」（大決昭四・八・三一新聞三〇四二・一六）。

判例は、その後も原則的には右の見解を変えていないが（大決昭六・一一・一〇新聞三三四一・一二等）、停止条件附請求権保全の仮登記の場合に関しては若干の例外を認め、（イ）停止条件附請求権を有するにすぎない者は民法三八〇条の法意から見て滌除権を有しないものと解すべきであるから、その条件が成就して請求権が現在するに至らない限り、かかる仮登記の権利者に対しては抵当権実行の通知をする必要もない。(ロ)もつとも、かかる仮登記権利者といえども抵当権実行の通知後一箇月内に自己の意思によつて条件を成就させ得る可能性の存するときは、なお民法三八二条二項・三項の趣旨から見て滌除の機会を与えられるべき利益を有しているから、かかる場合には、他に無条件の第三取得者があつてこれに対して抵当権実行の通知をなすべき場合のほかは、右の仮登記権利者に対しても抵当権実行の通知をなすことを要する、となすに至つた。年代的には、まず(イ)の点が認められ(〔21〕及び〔22〕のほか、大判昭一〇・七・三一民集一四・一四九)、次いで(ロ)の点も認められた(【23】)ものである。

【21】「仮登記アリタル地上権設定請求権カ停止条件若クハ将来確定スヘキモノトシテ登記セラレタル場合ニ於テハ条件ノ成就其ノ他ノ事実ニ因リ請求権ノ現存スルニ至リタル時以後ニ限リ該仮登記権利者ニ対シ抵当権実行ノ通知ヲ必要トスヘキコトハ民法第三百八十条ノ趣旨ニ照シテ自ラ明ナリトス」(大決昭六・一・一三民集一〇・一)。

本件は、停止条件の成就後仮登記権利者に対する抵当権実行通知なしになされた競売を「許スヘカラサルモノ」とするものであつて、右の判旨を実際に適用したものではない。

【22】「民法第三百八十条ニハ停止条件附第三取得者ハ条件ノ成否未定ノ間ハ抵当権ノ滌除ヲ為シ得サル旨明定シアリテ同条ノ法意ヨリ推ストキハ抵当不動産ニ付所有権移転ノ停止条件附請求権ヲ有スルニ過キサル者ノ如キハ不動産登記法第二条第一号及第二号第一段ニ依リ仮登記ヲ為シ得ル者ト異リ単ニ期待権ヲ有スルニ止ルヲ以テ縦令仮登記ヲ為スモ条件成就ニ依リ請求権現在スルニ至ラサル限抵当権者ニ於テ該仮登記ノ効力ヲ否認シ得ヘク従テ民法第三百八十一条ニ所謂第三百七十八条ニ掲ケタル第三取得者ニ該当セサルモノト解スルヲ

相当トス」（大決昭八・一一・二八民集一二・二七六六）。

本件は、右の判旨を実際に適用したものであつて、二番抵当権者が「抵当債務を期限に弁済しないときは代物弁済として抵当不動産の移転を受ける」旨の所有権移転請求権保全の仮登記をしていた場合に、一番抵当権者がその抵当権を実行するにあたつて、あらかじめ二番抵当権実行の通知をしなかつたため、二番抵当権者が競売開始決定の取消を求めたのに対し、いまだ代物弁済の期限が到来していないとして、上掲の理由で再抗告を棄却したものである。

【23】「民法第三百八十一条カ抵当権ノ目的不動産ノ第三取得者ニ対シ抵当権実行ノ通知ヲ要スルモノト為シタルハ其ノ第三取得者ニ滌除ヲ為ス機会ヲ与フルト共ニ滌除ヲ為スヘキ時期ヲ制限セントスルニアルヲ以テ右ノ第三取得者ハ滌除ヲ為シ得ヘキ者タルコトヲ要スルモノト謂ハサルヘカラス而シテ停止条件附第三取得者ハ其ノ条件成否未定ノ間ニ於テハ抵当不動産ノ所有権ヲ取得スヘキ期待権ヲ有スルノミニシテ未タ該不動産上ノ権利ヲ有スルモノニアラス従テ滌除権ヲ有セサルコト民法第三百八十条ノ規定ニ徴シ明カナルヲ以テ条件附第三取得者トシテ所有権移転ノ停止条件附請求権ヲ有スル者ノ如キハ右ノ第三取得者ニ該当セサルカ如シ（昭和八年（ク）一三九号同年十一月二十八日当院決定参照）然レトモ斯カル第三取得者ニシテ右抵当権実行ノ通知ヲ受ケ其ノ後一箇月内ニ条件成就スルニ於テハ滌除ヲ為シ得ルコト同第三百八十二条第二項第三項ノ趣旨ニ依リ之ヲ否定スルコトヲ得サルカ故ニ右ノ如キ停止条件附第三取得者ト雖モ右ノ期間内ニ自己ノ意思ニ因リ条件ヲ成就セシメ得ル可能性アリテ自ラ之ヲ期待シ得ラルルトキ例ヘハ抵当不動産ノ買主ノ所有権取得カ単ニ其ノ対価ノ支払ヲ為スコトヲ条件トスル如キ場合ハ条件成就カ全ク予期スルコトヲ得サル一般ノ停止条件附第三取得者ノ場合ト異リ特ニ抵当権実行ノ通知ヲ受クルニ付充分ナル利益ヲ有スルモノト謂ハサルヘカラス故ニ斯カル第三取得者カ其ノ所有権移転請求権ヲ仮登記ヲ以テ公告スルニ於テハ之ニ対シテ抵当権実行ノ通知ヲ要ス

ルモノト解スルヲ以テ法律ノ精神ニ適スルモノトス而シテ右ノ如キ停止条件附第三取得者ノ外ニ無条件ノ第三取得者アリテ之ニ対シテ抵当権実行ノ通知アルトキハ右ノ如キ停止条件附第三取得者ニ対シテ其ノ通知ナシトスルモ停止条件附第三取得者ハ無条件取得者ノ滌除時間内ニ条件ヲ成就セシメ滌除ヲ為シ得ルモノト為サザルヘカラス蓋シ停止条件附第三取得者ハ恰モ無条件第三取得者ニ通知アリタル後ニ不動産上ノ権利ヲ取得シタル第三者ト同一ノ地位ニ在ルモノナレハナリ故ニ右ノ如キ場合ニ於テハ停止条件附第三取得者ニ抵当権実行ノ通知ヲ為ササルモ之ニ対シ滌除ノ機会ヲ失ハシムルモノニアラサルヲ以テ抵当権ノ実行ヲ為サントスル者カ右ノ無条件ノ第三取得者ニ其ノ通知ヲ為スニ於テハ停止条件附第三取得者ニハ必スシモ其ノ通知ヲ要セサルモノト解スヘキモノトス斯クシテ抵当権実行者ト条件附第三取得者トノ法律上ノ地位ヲ衡平ニ維持セシメ法律ノ精神ニ適合セシムルモノト謂ハサルヘカラス」（大決昭一五・八・二四民集一九・一八三六）。

本件は、抵当権設定登記後「昭和一五年六月末までに五千円支払えば所有権を移転する」旨の売買予約にもとづく所有権移転請求権保全の仮登記のなされている土地について、抵当権者が仮登記権利者に抵当権実行の通知をなさずに昭和一二年五月二四日競売の申立をなし、これにもとづいて競売が行われたので、仮登記権利者が競落許可決定を抗告により争つた事案に関するものである。なお、本件の事案では、他に抵当権実行の通知を要する第三取得者があつたが、抵当権者はその者にも通知をしていない。従つて、右の競売はこの点においてすでに違法であるのに、この決定が具体的説明の部分において「該不動産ノ第三取得者タル前示坪上与市ニ対シ抵当権実行ノ通知ヲ為シタル形跡ナキヲ以テ右不動産ニ付第三取得者トシテ所有権移転ノ停止条件附請求権保全ノ仮登記ヲ為シ居レル相手方松田ニ対シテハ冒頭説示ノ理由ニ依リ抵当権実行ノ通知ヲ為」すべきであつたと述べているのは、いかにも不可解である（山田・判民一〇四事件）。

(2)　判例理論の検討

判例の理論を要約すると、（イ）民法三七八条の規定により滌除をなし得る第三取得者と同法三八一条の規定により抵当権実行の通知を受けるべき第三取得者とはその範囲を同じくし、所有権、地上権又は永小作権の取得の仮登記をした者は——仮登記には本登記の対抗力をさかのぼらせる効力があるから——原則としてこれに含まれるが、（ロ）停止条件附請求権保全の仮登記をした者は——民法三八〇条の法意により——その条件が成就して請求権が現在するに至るまではこれに含まれず、ただその条件がその者の意思いかんによつて一箇月内に成就する可能性があり、かつ、他に抵当権実行の通知を受けるべき第三取得者がいない場合には、右の仮登記の権利者に——民法三八二条三項の利益を失わせないために——その通知をなすことを要する、ということになる。

そこでまず（イ）の点が問題になるが、判例に賛成する者は少く、通説はこれに反対している。すなわち、一部においては、仮登記が本登記の対抗力をさかのぼらせる効力を有すること（三潴・担保物権法五五九・五六〇）、これに加えて滌除の制度は本質的に抵当権者に不利益なものとは考えられないこと（前田・前掲法曹会雑誌七巻・七〜九・一一号）、あるいは滌除が第三取得者の保護を図るために認められた制度である以上第三取得者の欠缺をもつて滌除権の行使を制限すべきでないこと（杉之原・判民昭和四年度五九事件、従つて、この見解は判例の理論に全面的に賛成するものではなく、仮登記権利者が実質上第三取得者である場合に限る趣旨のようである。なお、同「不動産登記法」一九八）等を理由として、判例と同一の結論を主張する者も存するが、通説は、滌除権の有無に関する三七八条の規定と抵当権実行の通知の要否に関する三八一条の規定とはおのおのその目的を異にしているので、抵当権実行の通知はすべての仮登記権利者に対してなすべきであるが、これに滌除の機能をも認めることは不当であるとする（舟橋・判民大正一三年度九四事件、同不動産登記法八六・八七、我妻・判民昭和八年度一九二事件、同・担保物権法一六八及び一八二、石田「担保物権法論上」二五七以下及び二八〇以下、末弘「債権総論」七九以下、柚木「判例物権法各論」三三二、末川「物権法」（新法学全集）一七四、東・判民昭和一〇年度九一事件等）。その理由はいろいろに説明されているが、要するに、

第一　仮登記を有するにすぎない者に抵当権を滌除するという重大な権能があると解することは、仮登記権利者に過当な権利を認め、抵当権者に重圧を加えるものであつて、衡平の立場から見ても適当でないのみならず、理論上も仮登記に物権変動の対抗力を認めたのと同一の結果に陥り、仮登記と本登記との本質的区別を滅却するに至る。

第二　しかしながら、抵当権実行の通知は単に滌除の機会を与えるためのものであつて、仮登記権利者といえども通知後一箇月内に本登記をすれば滌除をなし得るのであるから、その機会を与える意味において通知を要するものと解するのが規定の趣旨に適合する所以である。

ということに帰着する。

従つて、通説の立場から見ると（ロ）の点は問題にならないが、民法三八〇条が不確定な権利者に滌除権の行使を許さないとした趣旨は、すべての仮登記に推及されてしかるべきであり（我妻・判民前掲）、また、停止条件附請求権保全の仮登記の場合に、その条件が成就したかどうか、あるいはその条件が成就の可能性を有するかどうかによつて抵当権実行通知の要否を異ならせることは、抵当権者にその点に関する審査義務を課し、又は後日紛争を生ずる原因ともなるおそれが存するので、不当とされてい

る（同上、山田・判民前掲、しかしながら、これらの点は、抵当権者は、疑わしい場合には、かかる仮登記権利者にも通知をすればよいので、必ずしも抵当権者の不利益になつたとはいえないのではなかろうか）。

思うに判例の理論は、仮登記が本登記の対抗力をさかのぼらせる効力を有するという前提――この前提自体にも問題があることは一において述べたとおりであるが――に立つて、仮登記権利者は本登記前においても本登記をした者と全く同様に自己の権利を保全し得てしかるべきであるとする考え方にもとづくものであり、その趣旨は必ずしも理解し得ないではない。ただかかる立場をとる場合には、昭和八年の判決（【5】）が明らかにした、請求権保全の仮登記の場合には本登記の対抗力は物権変動の時期（?）以前にさかのぼらないという理論との調整を図る必要があるように思われる。すなわち、請求権保存の仮登記をした者は現実に物権を取得した後に限り滌除をなし得ると解すべきであろう。ただし、そのように解するとしても、仮登記権利者は後日必ず本登記をするとはきまつていないので、全然未登記の第三取得者に滌除権を認めないこととの均衡は依然問題として残されることとなる（なお、滌除権の行使は抵当不動産につき所有権、地上権又は永小作権を取得したことの主張を含むものであるから、未登記の第三取得者に滌除権の行使を認めることは、さらに問題であろう）。これに対し、通説の主張は、仮登記権利者の保護がいささか薄くなるきらいはあるにしても（特に不登二条一号の仮登記の場合）、理論的には筋が通つており、実際上も大した不都合を生じないであろうし、また仮登記による抵当権実行の妨害を排除する実益も少なくないと思われる。従つて、判例が今後いかなる変遷を示すかは、興味ある問題の一つであると言えよう。

（二）　抵当権の登記後に民法六〇二条所定の期間を超えない賃貸借の仮登記がなされた場合に、抵当権は同法三九五条の規定によりその賃貸借の解除を請求し得るか。

(1) 判例は、これを積極に解する。

【24】「不動産ニ於ケル賃借権設定ノ始期附又ハ停止条件附請求権ニ付仮登記ヲ為シタル者ハ期限ノ到来又ハ条件ノ成就ニ因リ本登記ヲ為シタル後ハ其ノ賃借権ヲ仮登記ノ日ニ遡リテ抵当権者及競落人ニ対抗スルコトヲ得ヘキモノナレハ右不動産ハ抵当権者及競落人ニ対抗セラルヘキ賃借権ノ目的ト為ルヘキコトヲ期待セラルルモノニシテ仮登記ハ仮登記権利者ノ為メニ此期待権ヲ保全スルモノト謂ハサルヲ得ス故ニ該賃貸借カ本登記ノ為サレタル後ニ於テ民法第三百九十五条但書ニ依リ抵当権者ニ損害ヲ与フルコト明ナルトキハ抵当権者ハ同条ノ趣旨ニ準拠シ本登記前ト雖該始期附若ハ停止条件附賃貸借契約ノ解除ヲ請求スルコトヲ得ヘキモノト解スルヲ相当トス」(大判昭一〇・四・二 五民集一四・六九三)。

同旨(大判昭一二・六・一 四民集一六・八二六)。

(2) 学説も概して、判例の見解を支持する。すなわち、仮登記が本登記のために順位保存の効力を有する結果として、抵当権(設定)の登記後に仮登記された短期賃貸借は、後日本登記のなされることによつて民法三九五条の規定により競落人に対抗し得るに至る可能性を有するから、かかる仮登記の存する以上は、抵当不動産の競落価格が低下して抵当権者が損害をこうむることも十分考えられるので、抵当権者にその賃貸借の解除権を認めるべきことは極めて当然であるとされている(末川・民商二・四・六九〇、有泉・判民昭和十年度四五事件等。ただし、後者はやや説明の方法を異にし、かかる賃借権の仮登記があるときは、競落人はその本登記義務を承継し、仮登記のままで賃貸借の対抗を受けることとなるので、三九五条の規定は、この場合にも直接適用されるものであるとする)。ただ、異説として、競売開始決定後は抵当権者に対抗し得る本登記をなし得ないとの前提の下に、競売開始決定前に本登記がなされない限り賃貸借解除の請求を認める必要がないとする見解も存するが(柚木・民商六・六・

一二一〇、なお、来栖・判民昭和十二年度一〇〇事件の結論もこれに近い）、民法三九五条の解釈問題になるので、ここでは詳論を避けることにする。

（三）　抵当権取得の仮登記をした者は当該不動産の競売代金から配当を受け得るか。

(1)　判例は、競売代金中仮登記権利者が若し本登記をしていたとすればこれに弁済すべき金額は仮登記権利者のために供託すべきであり、なお、その金額が供託されずに破産財団に組み入れられた場合には、仮登記権利者は破産財団に対して財団債権を有するものとする。

【25】　「仮登記ハ本登記アリタル場合ニ於テ其ノ順位ヲ保全スルノ効力ヲ生スルモノニシテ其ノ保全ノ効力ハ第三者ニモ対抗シ得ヘキモノナレハ競売ニ因リテ得タル代金中先順位抵当権者ニ弁済シテ余剰ヲ生セサルトキハ則チ已ム苟モ余剰ヲ生シタルトキハ之ヲ仮登記ノ抵当権者ニモ配当スヘキモノトス然レトモ仮登記ノ抵当権者ハ本登記ノ抵当権者ニ於ケルカ如ク直ニ其ノ金額ノ支払ヲ受クルコトヲ得ス従テ競売裁判所ハ民訴法第六百三十条第三項ノ規定ヲ類推シテ其ノ金額ヲ供託シ他日本登記ヲ為シ得ルニ必要ナル条件ヲ備フルニ至リタルトキニ至リ之ヲ交付スヘキモノト解スヘク若競売裁判所カ余剰ノ競売代金ヲ供託セスシテ破産管財人ニ交付シ破産管財人之ヲ破産財団ニ組入レタルトキハ仮登記ノ抵当権者ハ破産法第四十七条第五号ノ規定ニ依リ財団債権トシテ之ヲ行使スルコトヲ得ヘシ」（大判昭二・五・二六民集六・二九一）。

本件は、抵当権設定の仮登記後、当該不動産が先順位抵当権者の申立によって競売され、競落に際して右の仮登記も抹消されたが、仮登記権利者には配当が行われず、競売代金の剰余は抵当権設定者（債務者）が破産していたため破産管財人に交付したと見られる事案に関するものである。

(2)　この判決に対しては、特に異論もないようである（もっとも、原審は反対の見解をとり、仮登記の抹消によつて仮登記権利者の抵当権は消滅したと解する）。ただ、その後の問題として、競落の際に仮登記が抹消され、仮登記権利者は爾後本登記をなし得ないこととなる。そのため仮登記権利者はいかにして供託金の交付を受け得るかの疑問を生ずるが、民事訴訟法五九一条三項の趣旨に準じ、仮登記権利者が本登記をなし得る実質的権利を有するに至つた場合に、その旨の債務者の認諾書又はこれに代わるべき判決を得た上で、供託金交付の請求をなし得るものと解するのほかはないであろう（加藤・判民四八事件）。

（四）　以上のほかにもなお問題は考えられるが、その一つとして、仮登記権利者は民事訴訟法六四八条三号にいわゆる「登記簿ニ記入アル不動産上権利者」又は競売法二七条三項三号にいわゆる「登記簿ニ登記シタル不動産上ノ権利者」として強制競売又は任意競売の利害関係人となり得るかどうかの問題が存する。判例は、前者については、所有権取得の仮登記をしたにすぎない者は利害関係人でないとするが（大決大五・四・二八民録二二・五〇一）、後者については、途中から態度を変更して所有権取得の仮登記（大決大一四・六・一六民集四・三七〇）や抵当権設定の仮登記（大決大一四・一〇・七民集四・五一五）をした者も利害関係人であるとするに至つた（なお、競落許可決定の確定前に本登記をすれば利害関係人になることは、両者の場合を通じて問題がない）。利害関係人の範囲を定める基準については説が分れているが、強制競売手続と任意競売手続とでその基準を異にする理由はないと思われるので、判例が両者について軌を一にしていないことは一見奇妙の感を免れないが、前者に関する判例を変更する機会がなかつたためであると解すべきであろうか（たとえば、兼子「強制執行法」二三一は、競売（売却）によつて影響を受ける不動産上の権利者には手続に関与する資格を与え、その利益を擁護する機会を与える趣旨から、前者の場合について判例に反対する）。

三　対抗的効力

仮登記に終局登記と同様の効力、特にいわゆる対抗力を認め得ないことは、仮登記の目的及び性質から考えて当然であろう。判例は初期において一時仮登記にも権利変動の対抗力があるという見解をとつていたが民法施行法三七条の適用に関するもの（大判明三三・一〇・二九民録九・九七）、地上権に関する法律二条一項に関するもの（同明三七・四・二〇民録一〇・四九〇）、所有権移転仮登記権利者の制限（同明四二・三・三一民録一五・二九二）、物権登記抹消請求に関するもの、以上いずれも明治年代の判例である。間もなくこれを改め、現在この点に関しては判例学説の間に全く異論がない（なお、仮登記に権利変動の推定力がないことについては、大判昭九・一〇・六法学四・二・一〇九、石田「物権法論」二〇〇等）。

しかしながら、右のような一般論としてではなく、仮登記権利者が本登記をなそうとするに当つて、仮登記後第三者のためにその本登記の権利と牴触する処分行為の登記がなされているときは、仮登記のままでその第三者に対して当該処分行為の無効あるいは自己の本登記の権利を主張し得るかどうかは、最初に一言したように極めて問題であつて、この点に関しては何等規定がなく、判例、学説も帰一していないので、場合を分けて以下に説明を試みることとする。なお、仮登記権利者が仮登記のまで右のごとき主張をなし得るのは、後述のように順位保存の効力の一作用であつて、これと別個独立のものではないと考えるのが普通のようであるが、本稿においては、一応その実質をいかに考えるかとは無関係に、本登記後の効力と区別する意味において便宜これを「対抗的効力」と呼ぶことにした。

（一）所有権移転の仮登記後、第三者に当該所有権移転の登記がなされた場合——すなわち、甲所有の不動産について乙のため所有権移転の仮登記がなされた後、甲から丙への所有権移転の登記がなされた場合

(1) 判例の変遷

（イ） 判例は最初、甲は登記上の所有名義を失つているので、あらかじめ甲から丙への所有権移転登記を抹消し、登記上の所有名義を甲に復した上でなければ、乙のための本登記はなされ得ないという前提の下に、乙は仮登記のままで丙に対して登記の抹消を請求し得るものとし、そのため仮登記には一種の対抗的効力が認められるとした。この見解は、すでに大正四年五月一四日の大審院判決（後掲32）に示されているが、つぎに掲げるのはこれを実際の事件に適用した判決である。

【26】「不動産登記法第七条第二項ハ仮登記ヲ為シタル場合ニ於テハ本登記ノ順位ハ仮登記ノ順位ニ依ルト規定スルモ……同規定以外ニ仮登記ノ効力ヲ否定セントスル趣旨ナリト解スルヲ得ス若シ然ラストセンカ所有権移転ノ仮登記ヲ為スモ以テ本登記ヲ為ササル間ハ……第三者ニ対スル公示方法タル登記ノ効力ヲ実現スルニ由ナキニ至ルヲ免レス蓋シ所有権移転ノ仮登記後其本登記ヲ為ササル間ニ第三取得者カ本登記ヲ為シテ不動産ノ所有名義ト為リタルトキハ我不動産登記法ニ依レハ登記簿上不動産ノ所有名義人ニアラサル者ヲ以テ登記義務者ト為シテ登記ヲ為シ能ハサルカ故ニ此場合ニ其仮登記権利者ハ最早本登記ヲ為スコト能ハサルニ至リ仮登記ハ何等ノ効力ヲ生セサルコトニ帰スレハナリ惟フニ斯ノ如キ結果ニ到達スルコトハ既ニ仮登記ナル制度ヲ認メタル趣旨ト相容レサルモノト謂ハサルヘカラス従テ仮登記ニ本登記ト同一ノ効力ヲ認メ其目的タル物権ノ得喪ヲ第三者ニ対抗スル効力アリト為シ得サルコト勿論ナリト雖モ既ニ登記簿上不動産ニ付一定ノ権利者ノ為メ

特定ノ権利ノ得喪ヲ仮登記ニ依リ之ヲ登記シアル以上其仮登記ノ目的ノ範囲内ニ於テ第三者ニ対シ登記トシテノ一定ノ効力ヲ認メサルヘカラス即チ第三者ト雖モ登記簿上当該不動産ニ付キ仮登記ヲ為シタル者アルコトヲ知リ得ヘキ地位ニ在ルモノナレハ同時ニ仮登記ニ次テ後日本登記ノ必然的ニ生シ得ヘキコトヲ知ルモノト謂フヘク従テ不動産所有権移転ノ仮登記アリタルトキハ該登記権利者ニ於テ後日本登記ヲ為スコトヲ予期セサルヘカラサルヲ以テ第三者ハ該仮登記権利者カ本登記ヲ為スノ妨ケト為ル行為ヲ為シ得サルヘク若シ斯クノ如キ行為ヲ為シタルトキハ仮登記権利者ニ対シテハ其効力ヲ対抗スルコトヲ得サルモノト為ササルヘカラス従テ仮登記権利者ハ後日本登記ヲ為スニ当タリ其障碍ト為ルヘキ行為ヲ登記簿上為シタル第三者ニ対シ其撤廃ヲ求メ得ヘク即チ所有権移転ノ仮登記ヲ為シタル不動産ニ付キ第三者カ所有権取得ノ本登記ヲ為シタルトキハ該本登記ニ因リ不動産所有者ノ変更ヲ生シ為メニ仮登記権利者ニ於テ登記義務者ニ対シ本登記ヲ為ス手続ヲ求ムルコト能ハサルニ至ルヲ以テ斯ル場合ニ該仮登記権利者ニ所有権取得ノ本登記ヲ為シタル第三者ニ対シ該本登記ノ抹消ヲ求メ得ヘキモノニシテ第三者ハ基本登記ヲ以テ仮登記権利者ニ対抗スルヲ得ス却テ仮登記権利者ノ保全シタル権利ノ実行ヲ認容セサルヘカラサルモノニシテ其ノ第三者ノ本登記ノ原因タル所有権移転カ登記義務者ノ法律行為ニ因リタルト強制競売ニ因リタルトハ之ヲ問ハサルモノトス」（大判大六・九・二〇民録二三・一四四五）。

同旨（大判大一五・六・二九民集五・六〇二）。

なお、乙のための仮登記が全部所有権（単独所有権）の移転に関するものではなく、共有持分の移転に関するものである場合にも、根本の趣旨は右と変らないが、この場合には、甲から丙への所有権移転登記を全部抹消させることは行き過ぎであるから、乙はその登記（全部所有権取得の登記）の抹消を請求するかわりに、その登記を共有持分移転の登記（乙の取得した共有持分を除いた残りの共有持分の取得の登記）に改めるための登記の更正を請求すべきものとした。つぎの判決は、この趣旨である。

【27】「一箇ノ不動産上ニ共有持分権ヲ有スル者カ其不動産ニ付キ単独所有権取得ノ登記ヲ為シタル第三取得者ニ対シ其持分権ヲ対抗シ得ル場合ニ於テ所有権取得登記ノ抹消ニ因リテ第三取得者ノ正当ニ取得シタル権利ヲ喪失セシムル虞アルトキハ登記ノ抹消ヲ許容スヘキモノニ非スシテ登記更正ノ手続ニ依リ共有名義ノ登記ニ改メシムルヲ相当トス本件ニ於テ原審ノ認定シタル事実ハ係争不動産ハ元訴外白井逸次及同「コト」ノ共有ニ属シ而シテ上告人ハ逸次ノ共有持分ヲ譲受ケ所有権取得ノ仮登記ヲナシ未タ本登記ヲナササル間ニ上告人中栄一ハ右逸次及「コト」ヨリ係争不動産ノ全部ヲ買受ケ単独所有権取得ノ登記ヲ為シ又上告人柳瀬正七ハ更ニ右栄一ヨリ該物件ヲ転得シテ是亦単独所有権取得ノ登記ヲ為シタリト云フニ在リテ即チ白井逸次ハ既ニ被上告人ニ譲渡シ自己ニ権利ヲ有セサル共有持分ヲ重ネテ上告人ニ譲渡シタルモノナレハ上告人等ノ権利取得行為ハ少クトモ逸次ノ持分ニ関スル部分ニ付キ権利欠缺シ之ヲ以テ被上告人ニ対抗シ得サルモノナルカ故ニ上告人等ノ単独所有権取得ノ登記ハ被上告人カ前記ノ仮登記ニ基キ自己ノ共有持分権ノ本登記ヲ為スニ付テ其登記上ノ障礙タルヘキモ其全部ヲ抹消スルニ於テハ白井逸次ノ共有持分ノミニ止ラス白井「コト」ノ持分ニ付テモ尚且共有者名義ニ復帰セシムルモノナルカ故ニ若夫レ此際白井「コト」カ更ニ其持分ヲ第三者ニ移転シ其登記ヲ為シタランニハ上告人カ一旦正当且有効ニ取得シ其登記ヲ経タル権利ヲ喪失セシメラレ遂ニ回復スヘカラサル損害ヲ受クルノ虞ナシト謂フヘカラサルニ依リ被上告人ハ共有名義ノ登記更正ヲ求ムルヲ得ヘキモ所有権取得登記ノ全部抹消ヲ求ムルコトヲ得サルモノトス」（大判大一〇・一〇・二七民録二七・二〇四〇）。

なお、本件は、被上告人（共有持分取得の仮登記権利者）が第三取得者に対してその登記の抹消を請求し、原審がその請求を認容したのに対し、以上の理由により「原院ハ須ラク被上告人ノ申立ヲ釈明訂正セシメ」るべきであつたとして原判決を破毀したものである（我妻・判民一七四事件は判旨に賛成する）。

（ロ）ついで判例は、乙は甲に対して本登記の請求をなすと同時に、丙に対して登記の抹消を請求することを妨げないと判示した。その趣旨は、乙はまず本登記をなし、その上で丙に対して登記の抹消を請求するのが本則であるが、甲が本登記の申請に協力しない場合には、甲に対する本登記請求の訴を提起すると同時に、丙に対して登記の抹消の請求をすることもさしつかえないとするにあるもののようであるが、そうであるとすれば、甲から丙への所有権移転登記を抹消しなければ乙の本登記をなし得ないという従前の判例の見解は、この判例によつて覆えされたこととなるわけである。しかしながら、この重要な点をこの判決が特にことわつていないことは、いささか不可解である。

【28】「仮登記ハ本登記ノ為ニ順位保存ノ効力ヲ有スルモノナレハ仮登記アリタル後本登記カ為サレタルトキハ其ノ間ニ於テ仮登記義務者ノ為シタル処分ハ本登記ノ権利ニ抵触スル範囲ニ於テ其ノ効力ナク従テ本登記ノ権利者ハ前記仮登記義務者ノ処分ニ因ル権利取得ノ登記ヲ受ケタル者ニ対シ其ノ登記ノ抹消ヲ請求シ得ヘク而カモ此ノ請求ハ必スシモ先ツ自己ノ本登記ヲ為シタル後ニ於テセサルヘカラサルモノニ非ス仮登記義務者ニ対シ本登記ヲ為スヘキコトヲ請求スルト同時ニ之ヲ為スモ敢テ妨ケサルコトハ当院判例ノ示ス所ナリ（大正九年（オ）第二百九十四号同年七月十日判決）而シテ該判例ハ仮登記後本登記前ニ仮登記義務者ニ於テ本登記ノ目的タル権利ト全然相容レサル処分ヲ為シ之ニ因ル第三者ノ権利取得ノ登記アリタル場合ニ於テハ仮登記権利者ハ先ツ本登記ヲ受ケ而シテ後右第三者ノ権利取得登記ノ抹消登記ヲ受クヘキモノナルモ而カモ必スシモ此ノ順序ニ依ラサルヘカラサルモノニ非ス仮登記義務者ニ対シテ本登記ヲ請求スルト同時ニ第三者ニ対シ前叙抹消

登記ヲ請求スルヲ妨ケスト為ス趣旨ナルコト明ナリ」（大判昭三・七・二八民集七・六三五）。

この判決は、所有権取得の仮登記をした乙が仮登記義務者たる甲に対して本登記を請求すると同時に、第三取得者たる丙に対してその取得登記の抹消を請求した事案に関し、両請求をともに認容した原判決を上記の理由で支持したものであるが、その理由に援用されている大正九年七月十日の判決（後掲〔31〕）は、丙が抵当権設定の登記をした場合に関するものであつて、この判決を先例として掲げたことは頗る疑問であると言われている。けだし、丙の登記が抵当権設定に関するものである場合には、甲は登記上の所有名義を失わないので、乙が直ちに本登記をなし得ることは全く問題がないのみならず、大正九年の判決がなされた後も、本判決前に（イ）の見解に従つた大審院の判決が存することは前述のとおりであるからである。それ故、本判決も、本件のように丙の登記が所有権の取得に関するものである場合にまで丙の取得登記を抹消せずに乙の本登記をなし得ることを認めた趣旨ではないという見解も存する（我妻・判民六一事件）。

同旨（大判昭六・五・二三新聞三二九三・一六）。

なお、他方において、乙は丙のために登記がなされていても甲に対する本登記の請求を妨げないとした判決も存するが（大判昭七・八・五新聞三四五三・一五）、この判決は、丙の登記の抹消前に本登記自体をなし得るかどうかについては、何等言及していない。

（ハ）しかるに、その後判例は、乙はまず本登記をなし、その上で丙に対して登記の抹消を請求することは許されないという趣旨の見解を示すに至つた。この見解は、甲から丙への所有権移転登記の抹消前でも乙が適法に本登記をなし得ることを前提とし、かつ、仮登記には一切の対抗的効力が認められないことを理由とするものであつて、（イ）に掲げた最初の判例の見解と比較すると、正に一八〇度の転回を遂げたことになる。

【29】　甲所有不動産につき、乙のため所有権移転請求権保全の仮登記がなされた後、丙がその不動産を甲の承継人から買い受けてその登記をなし、丁のために抵当権設定登記をしたので、乙の承継人が仮登記のままで丁に対して抵当権の登記の抹消を請求し、原審で勝訴の判決を得た。これに対し、丁は「本訴ノ如キ被上告人（乙の承継人）ノ請求ハ仮登記義務者タル訴外高橋九右衛門トノ間ニ本登記ヲ了シタル後ニ於テ為スカ又ハ少クトモ同人ニ対スル所有権移転登記請求ト同時ニ為スニアラサレハ許容スヘキモノニアラス」等の理由で上告し、大審院はつぎの理由で上告を認め、原判決を破毀した。「凡ソ仮登記ハ本登記ノ申請ニ必要ナル手続上ノ条件ノ未タ具備セサルトキ又ハ不動産物権ノ変動ヲ目的トスル請求権ヲ保全セシカ為本登記ニ先チ仮ノ処分トシテ為サルヘキ一時的若ハ予備的登記ニ過キサルカ故ニ元来本登記ト同一ノ効力ヲ有スルモノニアラスシテ唯単ニ後日本登記ノ為サレタル場合ニ其ノ順位ヲ仮登記ノ日ニ遡リテ保全スルノ効力ヲ生スルニ止マリ本登記ノ如ク不動産物権ノ得喪変更ヲ以テ第三者ニ対抗セシムヘキ効力ヲ有スルモノニアラスト解スルヲ相当トス（昭和二年（オ）第九二号同年五月二十八日当院判決参照）果シテ然ラハ原審カ仮登記ヲ以テ本登記ト同一ノ対抗力ヲ生スルモノト解シ論旨摘録ノ如キ判示ノ下ニ上告人ヲ敗訴ニ帰セシメタルハ失当ニシテ……」（大判昭八・二・一七民集一二・二三）。

従つて、この判決は抵当権登記の抹消請求に関するものであつて、所有権取得登記の抹消に関するものではないが、その判旨によれば、所有権取得登記の抹消も仮登記にもとづく本登記の後でなければ請求し得ないことになると思われる。

（二）　判例は、その後さらに変転を続け、乙はまず本登記をした上で丙に対する登記の抹消の請求をすることもできるし、仮登記のままで右の請求をすることもできるとして、つぎのように判示した。この判例によれば、仮登記には再び一種の対抗的効力が認められたこととなるわけである。

【30】　「所有権移転ノ仮登記ヲ為シタル不動産ニ付第三者カ所有権取得ノ本登記ヲ為シタル結果仮登記権利者ニ於テ登記義務者ニ対シ本登記ヲ為スノ手続ヲ求ムルコト能ハサルニ至リタルトキハ第三者ノ本登記ノ原因タル所有権取得カ登記義務者ノ法律行為ニ因ルト将又強制競売ニ基クトヲ問ハス該登記権利者ハ其ノ第三者ニ対シ本登記ノ抹消ヲ請求スルコトヲ得ヘク第三者ハ本登記ヲ以テ仮登記権利者ニ対抗スルコトヲ得サルモノニシテ而モ右ノ抹消請求ハ必スシモ先ツ仮登記権利者カ本登記ヲ為シタル後ニ於テ為ササルヘカラサルモノニ非サルコトハ当院ノ夙ニ判例トスル所（大正六年（オ）第一三五号大正九年（オ）第二九四号、昭和三年（オ）第二八八号各事件当院判決）ナルノミナラス此理ハ第三者ノ為シタル本登記ノ原因タル所有権取得カ国税町村税等ノ滞納ニ因ル公売処分ニ基ク場合ト同一ニシテ彼此差別ヲ設クヘキ何等ノ理由ナキコト原判決説明ノ如クナリトス」（大判昭一〇・四・九新聞三八三五・一七）。

なお、この判決は、引き続いてつぎのように述べている。

「故ニ本件ニ於テ被上告人カ昭和五年五月十三日訴外宮本ミワヨリ係争不動産ヲ買受ケ所有権移転ノ仮登記ヲ為シ置キタルニミワハ昭和六年九月二十一日死亡シ訴外宮本亀吉ニ於テ其遺産相続ヲ為シタルニヨリ被上告人ハ亀吉ニ対シ所有権移転ノ本登記ヲ請求シ訴訟ノ結果勝訴ノ判決ヲ受ケ其判決ノ確定シタルコト原審認定ノ如クナル以上縦令上告人カ前記ノ仮登記後亀吉ノ村税滞納ニ基ク公売処分ニ因リ係争不動産ヲ取得シ其ノ登記ヲ為シタレハトテ之ヲ以テ被上告人ニ対抗シ得サルハ勿論ニシテ原審カ被上告人ノ請求ヲ認容シタルハ相当ナリ」。

（ホ）判例の態度はその後も一定せず、昭和一七年の判決のごときは全く最初の見解に復帰し、（イ）と完全に同趣旨を判示するに至つている（大判昭一七・九・一五評論三一・民五〇六）。

（ヘ）以上のように判例の態度は甚しく動揺しており、その変遷の過程の中から一貫した理論を導き出すことはほとんど不可能であるが、大体の傾向としては、乙は甲に対して直ちに本登記の請求をすることもできるし、仮登記のままで丙に対して登記の抹消の請求をすることも許されるとするものであると言えよう。そしてこの考え方、特に仮登記のままで丙に登記の抹消を請求し得るという考え方が、仮登記に——本登記をなし得る実質関係の生じたことを条件として——一種の対抗的効力を認めようとする態度につらなるものであることは、いうまでもない。（ロ）及び（ニ）に掲げた判例が、乙が丙に対して登記の抹消を請求するには、同時に甲に対して本登記の請求をするか、又はすでに甲に対する本登記請求の訴訟に勝訴していることを要件とするごとき口吻を洩らしていることは、仮登記にかかる対抗的効力を認めるためには、本登記をなし得る実質関係の存在が何らかの方法によつて確認されなければならない趣旨を強調したものとして、特に注意を要するものがあろう。

(2)　判例理論の検討

この問題に関する判例、学説の見解は多岐にわたつているが、仮登記に一種の対抗的効力を認めるか否かによつて、つぎの二つの立場に大別し得る。

（イ）仮登記に一切の対抗的効力を認めないとすれば、乙は仮登記のままでは丙に対して登記の抹消を求め得ないから、乙はまず本登記をなし、その上で丙に対して登記の抹消を請求すべきこととなる。

この見解は、前掲【29】の判例及び一部の学説の主張するところであり（舟橋「不動産登記法」八六、後藤・法と経済一・四・七九八等）、仮登記の趣旨に最も適合するようにも考えるが、つぎのような二つの難点が存する。すなわち、

(a) 本登記の申請は乙（登記権利者）と甲（登記義務者）とが共同してなすべきものであるが（不登二七）、甲はすでに登記上の所有名義を失つているので、甲から丙への所有権移転登記の抹消がなされないうちは、登記義務者として本登記の申請をする資格がない（不登四九（一〇）参照）。また、若し右の登記の抹消がなされないうちに右の本登記がなされたとすると、乙と丙とが同時に単独所有者として登記されるという変則の事態を生じ、その後の処置に窮することとなる。

もつとも、右の前段の部分に対しては、仮登記のなされている場合には、登記簿に本登記をなすべき余白が保留されていること（末川・前掲一七七）、又は甲の登記義務者たる権利関係が登記簿上確立されていること（舟橋・前掲一九一）を理由として、甲は丙に所有権移転の登記をした後も登記義務者として本登記の申請をする資格を失わないとする見解もあり、さらにまた、実務においては、甲は登記義務者として本登記を申請する資格を失わないのみならず、その本登記の結果甲から乙及び甲から丙への各所有権移転の登記が併存するに至つた場合には、そのいずれか一方を抹消しない限り、乙も丙も他の登記を申請することができないものとして、右の後段の部分に対しても一応の解決を図つている。

（参考） 昭和二八・一一・二一民事甲第二一六四号法務省民事局長通達

「甲所有の不動産につき、乙に対する所有権移転の仮登記に次いで、丙に対する所有権移転の登記（又は更

に丙から丁への所有権移転の登記）がなされた後、甲及び乙より右の仮登記に基く本登記の申請があつた場合には、その登記の申請を受理してさしつかえない。

前項により仮登記に基く本登記がなされた場合には、

イ　乙及び丙（又は丁）は、いずれも当該不動産の単独所有権の登記名義人である。

ロ　登記所が丙（又は丙及び丁）に対する所有権移転の登記を職権でまつ消することはできない。

ハ　丙（又は丙及び丁）に対する所有権移転の登記をまつ消するについては、甲及び乙はそれぞれ登記権利者たる地位を有する。乙に対する所有権移転の本登記のまつ消は、その本登記が登記原因を欠く場合にのみ認められるが、この場合のまつ消については、甲及び丙（又は丁）はそれぞれ登記権利者たる地位を有する。

ニ　乙は、丙（又は丙及び丁）に対する所有権移転の登記がまつ消されない限り、又丙（又は丁）は、乙に対する所有権移転の登記がまつ消されない限り、他の登記（不動産又は登記名義人の表示の変更の登記を除く。）を申請することができない。たとえば、乙が戊に対する所有権移転の登記を申請したときは、その登記の申請は、不動産登記法第四十九条第六号の規定の類推により、却下されるべきものである。

ホ　登記所は、乙のため本登記をした旨を、丙（又は丁）に通知するのが相当である。

ヘ　イの段階においては、土地台帳法第四十三条の二の規定により、乙を所有者として登録することを要しない。」

(b)　甲が本登記を拒否し、丙が甲から丙への所有権移転登記の抹消を拒否している場合でも、同時に訴訟を遂行することが不可能となり、訴訟経済に反する。

（ロ）　これに反し、仮登記に一種の対抗的効力を認めるとすれば、乙は仮登記のままで丙に対して登記の抹消の請求をなし得ることとなる。

この立場をとる見解は、後述のようにさらにいくつかの類型に分けられるが、その共通の問題点は、仮登記にかかる特殊な効力を認めること、換言すれば乙が仮登記のままで丙に対して登記の抹消を求め得ることの根拠をいかに説明し得るかである。前掲【26】の判決はこの点に関し、「第三者ハ該仮登記権利者カ本登記ヲ為スノ妨ケト為ル行為ヲ為シ得サルヘク若シ斯クノ如キ行為ヲ為シタルトキハ仮登記権利者ニ対シテハ其効力ヲ対抗スルコトヲ得サルモノト為ササルヘカラス」と述べているが、学説も大体これと同様又はこれに近似した説明を試みている。たとえば、

「本登記を為さんが為めに手続上妨げとなる他の本登記を抹消乃至更正し、又は直接之れに登記の協力を要求することも亦本登記の順位保全の云はば間接の作用と云わねばならない。蓋しこの作用も本登記が仮登記の時に為されたものと見らるる為めに他の登記に対して生ずる効力に過ぎないからである、従つて此の範囲で仮登記は仮登記の儘第三者の登記に対抗する効力がある、然し、仮登記を基礎として権利を行使することは出来ない。従て又此の範囲に於ては第三者の権利行使を妨げることも出来ないことになる」（我妻「仮登記の効力について」法協四〇・六・一五五、一五六）。

なお、これとほとんど同趣旨の学説は相当に多い（石田・前掲二〇三、末川・前掲一七八等）。

「思うに、本登記の申請に必要なる手続上の条件が具備した後においては、仮登記権利者は後になさるべき本登記の権利に牴触する限度において、かつ本登記をなすの前提としてのみ、第三者の権利を否認することをうるものと解したい。（中略）仮登記権利者がこの否認権を行使するときは、第三者は本登記の権利に牴触する限度において無権利者となるが故に、仮登記権利者はこれに対してその登記の抹消乃至更正を請求することができるのである」（柚木「判例物権法総論」二三四）。

以上を要するに、右のごとき効力は、仮登記の本質的な効力である順位保存の効力の延長あるいは反射作用として認められるものであり、従つて、本登記の申請をなすために必要な条件が具備されたことを条件として、かつ、その申請の前提としてのみ認められるとするものである。しかしながら、これらの見解は、その趣旨によつてさらにつぎの三種に分れる。

(a)　その第一は、乙は、甲から丙への所有権移転の登記を抹消しなければ、自己のため本登記をなし得ないとするものである。(1)の（イ）及び（ホ）に掲げる判例及び一部の学説（石田・前掲二〇二以下、柚木・前掲二三三以下）の主張するところであるが、この見解によれば、前記（イ）の見解のような難点は生じないが、乙が丙の登記を抹消しただけで自己のための本登記をせずに放置しておく弊害を生ずることが考えられる（この弊害を封ずるため、柚木・前掲二三五は、丙に対する請求は甲に対する請求と同時にする場合にのみ許すべきものとするが、この見解に従うと、甲が本登記を承諾している場合には、丙に対する請求の訴を提起し得ないことになろう。）。

(b)　その第二は、乙は、甲から丙への所有権移転登記の抹消の前後を問わず、自己のために本登記をなし得るとするものであつて、(1)の（ロ）及び（ニ）に掲げる判例及び一部の学説（末川・前掲一七八）の主張するところである。この考え方は、前述のように判例の見解の主流をなすものであるが、仮登記に対抗的効力を認める根拠が薄弱となるおそれがあるのみならず、（イ）の(a)で述べたと同様の難点を生じ得るだけ(a)の見解よりも複雑であると言えよう。

(c)　その第三は、乙は、甲から丙への所有権移転登記の抹消と自己のための本登記とを同時に申請しなければならないとするものであつて、一部の学説の主張するところである（我妻「仮登記」法律学辞典第一巻二八七、杉之原・前掲二三〇、二三一）。この方法によつて登記すべきものとすれば、上述の不都合はすべて除去し得ることとなるが、問題は両者の申請が同時になされず、甲から丙への所有権移転登記の抹消の申請のみがなされた場合に、これを却下しなければならない手続法上の根拠を見出し難いという点に存すると思われる。けだし、不動産登記法は、登記の申請について一件主義を原則とし（不登四六、四七）、ある登記の申請が他の登記の申請と同時になされることを要件とした規定を全く設けていないからである（不登四九参照）。従つて、この見解による以外に妥当な解決を得られないとすれば、本問の解決は立法によることが最も望ましいということになるのではなかろうか。

以上のように、本問については各種の見解が存するが、それぞれ長短があつて、その適否は簡単には決し得ないと思われる。なお、乙の仮登記が共有持分の取得に関するものである場合には、丙に対して登記の抹消を請求し得ず、その更正を請求すべきものとされている点は、問題がないとされている。

（二）　所有権移転の仮登記後、第三者のため制限物権設定の登記がなされた場合——すなわち、甲所有の不動産について乙のため所有権移転の仮登記がなされた後、甲が丙のために制限物権設定の登記をした場合

(1)　判例は最初、仮登記にも本登記と同様の対抗力があるという理由で、乙は仮登記のままで丙に対して登記の抹消の請求をなし得るとしたが（大判明四二・三・三一民録一五・二九二）、仮登記の一般的対抗力を否定した後も、右の結論を全面的には否定するに至らず、右の請求は乙が本登記をした後にしても、甲に対する本登記の請求と同時にしても、いずれでもさしつかえないものとしている。なお、この判例も相当古いも

のではあるが、その後の判例は見当らない（前掲〔29〕の判例は、本件と場合を異にする。）。

【31】「仮登記ハ本登記ノ為メニ順位保存ノ効力ヲ有スルモノナルニヨリ仮登記権利者カ本登記ヲ為シタルトキ仮登記後ニ其義務者ノ為シタル処分ニシテ本登記ノ権利ニ牴触スルモノハ其範囲内ニ於テ全ク其効力ナク従テ本登記ノ権利者ハ右ノ如キ仮登記義務者ノナシタル処分ニ因リ権利ヲ取得シタル者ニ対シ其登記ノ抹消ヲ請求シ得ルモノト謂ハサル可カラス然リ而シテ該登記ノ抹消請求ハ必ス先ツ仮登記義務者カ本登記ヲ為シタル後ニ於テセサルヘカラサルモノニアラスシテ仮登記義務者ニ対シ本登記ヲ為ス可キ旨ヲ請求スルト同時ニ仮登記義務者ノ処分ニ依リ叙上ノ如キ権利ヲ取得シタルモノニ対シ之カ登記ノ抹消ヲ請求スルモ敢テ妨ケナキ所ナリトス」（大判大九・七・一〇民録二六・一〇六〇）。

なお、この判決は、乙が甲に対して本登記を求めると同時に丙に対して（抵当権の）登記の抹消を請求した事件につきなされたものであつて、原審が本登記の請求のみを認めたのに対し、上記の理由で原判決を破毀したものである。

(2)　本問の場合にも、（一）の場合と同様、各種の見解が成立する。

（イ）　仮登記に一切の対抗的効力を認めないとすれば、乙はまず本登記をなし、その上で丙に対して登記の抹消を請求すべきこととなる。本問の場合には、甲は完全に登記上の所有名義を保有しているので、乙が直ちに本登記をなし得ることは疑問の余地がない。しかしながら、甲が本登記を拒否し、丙が登記の抹消を拒否している場合に、乙が同時にその両者を請求し得ない不便の存することは、（一）の場合と全く同様である。

（ロ）　仮登記に一種の対抗的効力を認めるとすれば、乙は仮登記のままでも丙に対して登記の抹消を請求し得ることとなる。ただし、この立場をとる見解も、つぎの三種に分れる。

(a) その第一は、本問の場合には、乙は甲を登記義務者として直ちに本登記をなし得るから、まず甲に対して本登記を請求し、その本登記をした上で丙に対して登記の抹消を請求するのが本則である、従つて、乙は右の二つの請求を同時になすことはさしつかえないが、本登記の請求に先立つて丙に対する登記の抹消のみを請求することは許されない、とするものである。この見解は、判例及び一部の学説（柚木・前掲二三六、杉之原・前掲二三二）の主張するところであり、本問の場合に関する限り、比較的妥当なものであると思われる。

(b) その第二は、乙はまず本登記をなし、その上で丙に対して登記の抹消を請求するのが本則である、この請求は仮登記の効力としてなし得るものであるから、必ずしも甲に対する本登記の請求と同時にしなければならないものではない、とするものである（石田・前掲二〇六）。しかしながら、乙が仮登記のままで丙に対する登記の抹消の請求を単独になし得るものとすると、乙が本登記前に丙の登記を抹消し、本登記をせずに放置しておく弊害が考えられる。

(c) その第三は、乙は、丙のための制限物権設定登記の抹消と自己のための本登記とを同時に申請しなければならないとするものであつて、（一）の場合の(2)の（ロ）の(c)と同様の考え方に基くものである（我妻・前掲二八七）。従つて、そこで述べたことは、この場合にも妥当する。

結局、本問の場合にも、いずれの説が最も適当であるかは、簡単には決し得ない。

（二） 制限物権設定の仮登記後、第三者に所有権移転の登記がなされた場合——すなわち、甲所有

の不動産について乙のため制限物権の仮登記がなされた後、甲から丙への所有権移転の登記がなされた場合

(1) 判例は一貫して、甲の乙に対する本登記義務は丙に承継され、乙は丙に対して本登記の請求をなすべきものとする。

【32】「按スルニ仮登記ハ不動産登記法第二条ノ規定ニ依テ登記申請ニ必要ナル手続上ノ条件カ具備セサルトキ又ハ不動産ニ関スル権利ノ設定移転変更又ハ消滅ノ請求権ヲ保全セントスルトキ為スヘキモノナレハ登記手続上ノ条件ヲ具備セシムヘカラサルコト若クハ請求権ノ不当ナルコト確定シ仮登記其モノノ無効ニ帰スヘキ場合ハ格別然ラサレハ仮登記モ亦登記ノ一種ナルヲ以テ仮登記ヲ為シタル権利ハ物権的効力ヲ有シ之ヲ第三者ニ対抗スルコトヲ得ルモノト云ハサルヘカラス不動産登記法第七条第二項ノ規定ハ仮登記アリタル後本登記ヲ為シ仮登記ト本登記ト二箇ノ登記併存スル場合ニ於テ本登記ノ順位ハ仮登記ノ順位ニ依ルヘキコトヲ規定シタルニ止マリ仮登記ノ効力ハ同条ノ規定ノミナリト解スヘキニ非ス然ラサレハ仮登記ハ本登記ヲ為スニ非サレハ何等ノ効力ナキニ帰シ法律カ仮登記ノ制度ヲ認メ仮登記ヲ経タル権利ヲ確保セントスルノ趣旨ヲ没却スルニ至ルヘケレナリ故ニ所有権ニ関スル仮登記アルトキハ其後ニ於テ所有権取得ノ登記ヲ経タル第三者ニ対シテモ仮登記アリタル権利ヲ対抗スルコトヲ得ヘク之ト同シク地上権抵当権等ニ関スル仮登記アル時ハ其後ニ於テ所有権取得ノ登記ヲ経タル第三者ニ対シテモ亦仮登記アリタル権利ヲ対抗スルコトヲ得ヘシ然レトモ仮登記ハ完全ノ登記ニ非サルヲ以テ唯其登記ヲ経タル権利ヲ確保スル物権的効力アルニ止リ本登記ヲ経ルニ非サレハ其権利ヲ行使スルコトヲ得ス是レ本登記ト差異アル所以ナリ而シテ不動産登記法ノ規定ニ依レハ登記義務者ハ登記名義人タルコトヲ要スルモノナレハ所有権取得ニ関スル仮登記ヲ経タルモノカ其権利ノ本登記ヲ為サントスルニ当リ其不動産ニ付第三者ノ所有権取得ノ登記アル時ハ仮登記ノ権利者ハ第三者ニ対シ仮登記アリタル権利ヲ主

張シテ所有権取得ノ登記ノ抹消ヲ求メ其手続ヲ経タル後ニ於テ原所有者ヲ登記義務者トシテ本登記ヲ為スヘク又地上権抵当権等ニ関スル仮登記ヲ経タル者カ其本登記ヲ為サントスルニ当リ其不動産ニ付第三者ノ所有権取得ノ登記アルトキハ第三者ハ仮登記アリタル地上権抵当権等ニ関スル権利ヲ対抗セラルル結果其本登記ヲ為スヘキ義務ヲモ承継スルモノナレハ仮登記ヲ経タル如上権利者ハ現在ノ登記名義人ナル第三者ニ対シテノミ本登記ヲ為スヘキコトヲ求ムル権利アルモノトス」(大判大四・五・一四民録二一・七五七)。

なお、この判決は、乙(抵当権設定の仮登記権利者)が甲に対して本登記の請求をしたのに対し、その請求を棄却した原判決を上掲の理由によつて支持したものであるが、仮登記権利者の本登記請求に関し、本問以外の場合についても解決の指針を与えた重要な判例である。

【33】「抵当権設定ノ仮登記アル不動産ニ付所有権取得ノ本登記ヲ為シタル者ハ仮登記権利者ニ対シ抵当権設定ノ本登記ヲ為スヘキ義務ヲ負担スルモノナルコトハ当院判例(大正四年五月十四日言渡大正三年(オ)第二三六号判決)ノ認ムルトコロニシテ之カ変更ヲ為スヘキ理由ヲ発見セス」(大判昭六・四・一八新聞三二六六・七)。

同旨(大判昭一一・一一・一一法学六・三・一一〇)。

(2) 学説はおおむね判例の見解に同調するが(石田・前掲二〇五、杉之原・前掲二三二)、つぎの異説が存する。

(イ) その第一は、乙は甲に対して本登記を請求すべきであるとするものであつて、仮登記に一切の対抗的効力を否認する結果、本登記義務の丙への承継も認め得ないという理由に基くものである(舟橋・前掲八六)。甲乙間に生じた権利の変動について、第三者たる丙に登記義務を認めた判例の見解もたしかに問題であるが、この説のように登記上の所有名義人たる丙に関係なく乙のために本登記をなし得るとすることも、多少疑問であると思われる。

（ロ）　その第二は、乙は甲に対して本登記を請求し、丙に対してはその承諾を求め、その両者を基礎としてのみ本登記をなし得るとするものであつて、（一）の場合に関する(2)の（ロ）の(c)の見解及び（二）の場合に関する(2)の（ロ）の(c)の見解と同様の考え方に基くものである（我妻・前掲二八七）。実質的には最も妥当な解決が得られると思われるが、右の本登記の申請に丙の承諾を要件とする手続法上の根拠のないことが欠点である。

即時取得

鈴木禄弥

はしがき

即時取得は民法中でもおそらくもつとも判例の多い項目の一つであり、参考とすべき文献も枚挙にいとまがない。それだけに、叙述の骨組を諸先輩の教科書に倣つて作ることは比較的容易であつたが、他面多すぎる判例の取捨選択に迷い可成恣意的なものにしてしまい、また各判例批評を充分に咀嚼することもなしえなかつた。特に前半の**二**・**三**は、いわば問題がすでに出つくしていて、我ながら余り興味を持つて仕事ができなかつた。後半**四**・**五**には新しい問題も比較的多く残つていて、興味と野心も若干は持ちえたけれど、それだけにとんでもない誤を仕でかしているのではないかと不安である。御叱正をえて、後日の補正を期したい。

一　序　説

わが民法第一九二条は「平穏且公然ニ動産ノ占有ヲ始メタル者カ善意ニシテ且過失ナキトキハ即時ニ其ノ動産ノ上ニ行使スル権利ヲ取得ス」と規定している。その趣旨は、文理からは必ずしも明らかではないが、無権利者を権利者と誤信しこれと取引をした者は、あたかも前主が真の権利者であつたかのごとき保護を受け、完全な権利を取得するという意味、すなわち取引の安全を計るためのものであるとされている。即時取得なる語はこの条文の「即時ニ……取得ス」から出ているわけであるが、結局はこの制度が沿革的に即時時効と呼ばれていたことに由来するのであつて、制度の今日的意味においては善意取得乃至公信の原則なる語を標題とした方が妥当であつたかも知れぬ。即時取得の中心対象は動産であるが、同様の趣旨を有価証券について一層強調するものに小切手法第二一条（商法五一九条により、広く準用）があり、さらに立法論的には不動産についてもこれを認めることが考えられる。

即時取得の歴史的沿革乃至比較法的研究はここではその場所をえない。本稿ではまず動産即時取得につき、その要件・効果を述べ、つぎに対象が盗品等である場合の例外について見、最後に動産以外の諸対象の即時取得に及ぶことにする。

二　即時取得の要件

一　客体が動産であること

即時取得の客体となるものは原則として動産に限り、また動産は原則として即時取得の客体となる。たとえば、次の判例は、記名株式は動産にあらず従つて民法第一九二条の適用なきことを認めるが、その前提として以上の趣旨を述べている。

【1】「民法第百九十二条及ヒ第百九十四条ハ書面上ノ記載其他何等ノ手続ヲ要セス甲者ノ手ヨリ乙者ノ手ニ引渡スノミニ因リ容易ニ且迅速ニ占有ノ移転シ得ヘキ有体物即チ動産ノ取引ニ付キ当事者ニ安全ヲ与ヘ以テ之ヲ保護スルノ精神ニ出テタル規定ナリトス」（大判明三六・一二・一民録九・一三五一）

(一)　不動産については即時取得の規定は適用されない（抵当権の場合に例外があること後述第五章一(三)のとおり）。このこと自体は、立法論的に批判されることがあるのはともかく、疑がない。

【2】「或不動産ニ対シ登記簿上所有権取得ノ登記アルモ実質上ノ権利ナキ者ハ之ヲ処分スルコトヲ得サルハ一般ノ原則ナリトス不動産ニ付テハ民法第百九十二条ノ如キ規定ナキヲ以テ善意ニ無権利者ヨリ抵当権ヲ設定セラルルモ何等ノ権利ヲ取得スルコトヲ得サルモノトス」（東京控判明四三・一〇・二八新体系民3・一二八ノ二一）。

問題は不動産の一部が分離されて動産にされた場合と即時取得の関係、および不動産の一部であつたものが明認方法という公示手段を具えて本体たる不動産とは独立に取引の対象とされる場合に、かかるものが即時取得の対象になるかの問題である。

(1)　不動産の一部が後に分離せられ動産になつた場合についても、二つの場合が区別される。

(イ)　第一は譲受人の占有の取得当初、それが未だ不動産の一部であつて、かれの占有取得後に至つて、始めて不動産より分離され、動産となつた場合。かかる事案についても、当初、判例は動揺し

ていた。すなわち無権利者から山林を買つた者がこれを伐採・取得した事案につき、

【3】「動産ノ占有ニ付テハ善意ニシテ過失ナク平穏且公然ニ其占有ヲ始メタルトキハ即時ニ其動産ノ上ニ行使スル権利ヲ取得スルコトハ民法第百九十二条ノ規定スル所ニシテ其動産ノ取得カ継受取得ナルヤ否ハ素ヨリ問フ所ニアラス故ニ原院ニ於テ上告人カ善意ニシテ過失ナク平穏且ツ公然ニ本訴木材ヲ占有シタル事実ヲ認メ以テ上告人ハ占有ニ依リ本訴木材ノ所有権ヲ取得シタル者ト判定シタルハ其当ヲ得タルモノトス」（大判明四〇・一二・六民録一三・一一七四）。

として即時取得の適用ありとした。ここで判例が即時取得の適用は動産の継受取得の場合にかぎらず、としていることは後述二(一)(1)のごとく明らかに誤りであり、この点はその後の判例によつて修正されるが、それ以後にも山林を無権利者から買うこと自体は即時取得の保護をうけるとする立場を固執する判例はなお存在する（大判大一〇・二・一七民録二七・三二九、後出〔39〕）。

　この種の判例の根拠は、おそらく、かかる場合には不動産の一部についてではあれともかく取引行為があり、かつ立木が生立地と独立に取引の対象となることが稀でないことに著目して、これに即時取得を適用せしめんとするのであり、相当の理由をもつものである（同旨・末弘評釈判民大正一〇年二二事件）。しかし、論理的に考えてみると、譲渡行為の際は未だ不動産の一部であるから、即時取得の要件を充たさず、伐採して動産になつた際は伐採という事実行為のみで取引行為が存しないから、同様に即時取得の要件を充たさない。しかのみならず、もし不動産の一部分特に「立木法の適用外の立木が動産的性格を有し取引界において輾転譲渡せられるものであるならば、即時取得の適用も考慮せられえないものでもない

が、現実においてはかかる頻繁な取引の対象となるものではなく、またそれ自体についての明認方法やその地盤についての登記簿の記載によつて公示せられるところの、不動産的性格を有する土地の非同体的構成部分と解すべきものなのであるから、これに第一九二条以下の適用を認めることは、妥当とは考えられない。従つて、他人の山林を伐採して材木を取得する場合においては、山林自体について取引行為があつたとなかつたとを問うことなく、山林が不動産的性格を有するものであることに差異なく、従つてその一部を組成するものを事実行為により動産となして占有しても、第一九二条以下の適用を生ずることとなし、と断ずべきものと考え」(柚木・判物総三四四頁)られる。判例もその後態度を改め、かかる場合の即時取得の適用を排斥している。

たとえばA所有の山林内に生立する立木をXが購入したが、何等の公示方法を施さず放置しておくうち、Aの債権者Yが債権保全のため立木所在の山林に対して仮差押をなしその旨登記した（これによつてXは立木について自己が所有権を取得した旨をYに対抗しえなくなつている)。その後Xが買受立木を伐採搬出しておいたが、YはAに対する強制執行として該木材を差押え、これに対してXが該木材の所有権を主張し執行の排除を求めた件につき、該木材についてXの即時取得の成立を認めずXの請求を拒けている。

【4】「民法第百九十二条ハ現ニ動産タルヘキ物ノ占有ヲ始メタル者カ其ノ後事実上ノ行為ニ因リ之ヲ動産ト為シテ占有シタル場合ニ適用スヘキ規定ニ非ス性質上土地ノ一部ヲ為セル係争立木ヲ真ノ所有者ニ非サル者ヨリ伐採ノ目的ヲ以テ買受ケ其ノ儘之カ占有ヲ始メタル後自ラ之ヲ伐採シ其ノ伐木ヲ動産トシテ占有シタルモ

ノニシテ現ニ動産タル材木ノ占有ヲ始メタルモノニハ非サレハ上告人ハ民法第百九十二条ニ依リ右伐木ノ所有権ヲ取得スヘキニ非ス」（大判昭三・七・四新聞二九〇一・一〇）。

なお同様の趣旨の判例としては、

【5】「民法第百九十二条ハ現ニ動産タル物ノ占有ヲ始メタル場合ニノミ適用スヘキ規定ニシテ性質上不動産ノ一部ヲ組成セル物ノ占有ヲ始メタル者カ後ニ至リ事実上ノ行為ニ因リ之ヲ動産ト為シ占有シタルカ如キ場合ニ付適用セラルヘキ規定ニ非ス本件地上ニ生立シ性質上該土地ノ一部ヲ為シ居リタル係争立木ヲ其ノ真ノ所有者ニ非サル者ヨリ買受ケ其ノ儘之カ占有ヲ始メタル後之ヲ伐採シ因テ動産ト為リタル木材ヲ占有スルトモ既ニ伐採セラレテ動産ト為レル木材ヲ買受ケ其ノ占有ヲ始メタルモノニ非サルカ故ニ前記法条ニヨリ右木材ノ所有権ヲ取得スヘキモノニ非ス」（大判昭四・二・二七新聞二九五七・九）。

があり、これと全く同趣旨の判例がその他にも存する（大判昭七・五・一八民集一一・一九六三）から、この問題についてはほぼ判例が確立したものと言つてよかろう。

（ロ）第二に不動産の一部が譲受人の占有取得以前にすでに不動産より分離せられ動産となつている場合には、まさしく即時取得の問題となる。このことは立木法による立木が土地より分離されて動産になつた場合も同様で、この場合については明文の規定（立木一V）がある。

（ハ）以上の場合と区別さるべきは、本来動産たるものが、不動産の従物として主物たる不動産と共に処分された場合にも、かかる動産について即時取得の規定が適用されることである。後出判例【24】は、A所有家屋の従物たる動産がそれだけ独立して債権者Yに差押えられていた場合に、善意のXが該家屋を購入した時は、Xはその従物たる動産を即時取得することを認めている。この場合には、主物たる不動産の取引と共に、従物たる動産についてもまた取引があると考えるのであろう。

(2)　等しく不動産の一部であつても、いわゆる明認方法により、生立地盤とは独立に取引されるものについては若干事情が異なる。すなわち明認方法は公示方法としては登記よりむしろ占有に類似する所があり、これを信頼して取引をなしたものに即時取得の保護を与えるべしとすることも考えられるからである。判例は無権利者より既に成熟期に達せる稲立毛を買受け代金を支払い同時に現地に於いて引渡を受けその各要所に公示札を建てて自己の所有なることを明示した場合につき、

【6】　「未タ土地ヨリ分離セラレサルモ既ニ成熟期ニ達セシ稲毛ノ如キハ一種ノ動産トシテ取扱ハレ取引ノ目的タリ得ヘキモノナルコト当院判例ノ趣旨トスルトコロナルカ故ニ此ノ範囲ニ於テ本来ハ不動産ノ一部ヲナス分離前ノ果実ニ付テモ亦民法第百九十二条ノ適用アリト言フヘシ」（大判昭二・八・八新聞二九〇七・九）しとなしている。

注意すべきは、判例がここで稲立毛は動産だから即時取得の適用があるとしていることであるが、稲立毛が動産といえるかどうか疑わしいし、即時取得の適用ありやの問題は稲立毛に限らず同様に明認方法によつて取引される立木――それが不動産であることは疑ない――その他についても問題となり、結局かかるものにつき即時取得を適用して取引の安全をはかるべきやの問題となるが（立木にまで即時取得の適用をなすべしとするもの末弘同件評釈・判民大正一〇年二三事件、稲立毛だけにつき認めんとするもの末川・物権法二三三頁）否定的に解すべきでなかろうか（同旨我妻・物権法一三三頁、柚木・判物総三四四頁）。

(二)　登記および登録による公示の対象となるものと即時取得。　登記または登録による公示の対象となるもののうちでも不動産（またはその一部）については、すでに（一）で述べたから、以下では、動産であつてしかも登記または登録による公示の対象となるものについて述べる。これには大別して

二種類あり、(1)　一は登記または登録の公示の主対象は不動産であつて、ただその公示が不動産に附属する動産にも及ぶ場合であり、(2)　他は動産自体が——動産であるにもかかわらず——登記登録による公示の主対象となつている場合である。なお動産が証券に化体されているときは、その公示は証券の占有によつてなされ——登記登録と証券の占有による公示とはもちろん性質が異なるが——、登記登録による公示の対象となる動産と類似するから、これを(3)で述べる。

(1)　(イ)　不動産の従物は、主物たる不動産についての登記によつて公示されるが、かかる従物といえども、即時取得の対象となる。主たる不動産に抵当権が設定されていて、その効力が従物に及ぶ場合といえども同様である。

(ロ)　いわゆる財団抵当の効力に服している動産についても、即時取得の適用がある。たとえば、判例は工場財団を組成する器具・器械類につき即時取得の適用あるべきことを認めている(大判昭八・五・二四民集一五六五、我妻評釈判民一一〇事件。もつともこの事件では上のことを前提としつつ、譲受人が無過失なることの証明がないから、即時取得は成立たないとしているのだが)。ただし、この点については、即時取得を認めることは財団抵当の確実性を失わせるものなるゆえ反対があり、後出【9】の傍論に見られる如く、工場財団は工場抵当法第一四条第一項により不動産と見られる(工抵一四・I)ゆえ、即時取得の対象とならぬとする説があり(石田・物権法上一二四頁、堀内・判例財団抵当法五〇頁以下。工抵一三・II参照。同法五・IIと比較。)、これを裏書するがごとき判例も存する。すなわち、

【7】　「工場抵当法第十四条ニ依レハ工場財団ハ之ヲ一個ノ不動産ト看做シ且ツ所有権ノ目的タリ得ルコトヲ明規シ而カモ同法第十三条ニ於テ工場財団ニ属スルモノハ譲渡シ得スト規定セルニ止マル点ヨリ考フルトキ

ハ工場財団ノ全部譲渡ハ固ヨリ法ノ許容スル所ト解スヘク従テ工場財団ノ譲渡ニ際シ抵当権者ノ同意ヲ得ストモ之カ為メ譲渡ハ無効タルヘキモノニ非スシテ譲受人ハ適法ナル第三取得者タルコトヲ失ハスト認ムヘキナリ」（大判昭八・三・一八・民集一二・九八七頁）。

としており、工場財団全体の譲渡は有効だといっている反面には、これを組成する個々の物件の譲渡は無効だとする見解が潜んでいるようである。しかし普通の不動産の構成部分すら、分離された後は、動産として即時取得の対象となることは（一）(1)（ロ）に述べたとおりであるから、以上の説は正しくないと思う（同旨、我妻・物権法二二二頁）。最近の下級審判例も、かかる工場財団に属する個々の動産につき、即時取得の成立しうることを認めている。

【8】「工場抵当法第十四条に工場財団は之を一ケの不動産と看做すとあるのは、法律上の取扱として形式上の意義あるに過ぎず、動産である機械が工場財団を組成したが為に其の性能を一変して不動産となる趣旨ではなく、抵当権の目的に添はんが為形式上不動産としての取扱を受けると云うに留まる故、仮令違法にもせよ、而して夫れが為行為者の行為が犯罪を構成し、所為者が処罰を受けるが如き場合でも、不動産と看做される工場財団を組成する動産である機械は之を分離する以上、本来の機能を発揮し、引渡に依り移転を対抗し得るに至るものと解するのを妥当とすべく、従つて民法第百九十二条所定の要件を備える限り、其の譲受人は所有権取得を以て第三者に対抗し得るものと云はねばなるまい」（東京地判昭三〇・九・一〇下級民集六・九・一九五二）。

なお財団を組成しない工場に属する土地や建物に抵当権が設定された場合、抵当権はその上にある動産に及び（工抵二）、かつこの抵当権の効力は動産が第三取得者に引渡された後もなお及ぶとされているが、それにもかかわらずかかる動産につき即時取得が適用される（工抵五・II）。

【9】「然レトモ工場抵当法第二条ニ依レハ同条ニ規定セル工場備附ノ機械器具其ノ他工場ノ用ニ供スル物件ハ工場ニ属スル土地又ハ建物ノ上ニ設定セラレタル抵当権ノ目的ト為ルヘク又其ノ抵当権設定ノ登記申請ノ場合ニ右動産ノ目録ヲ提出シタルトキハ同法第三条第二項第三十五条ニ依リ目録ノ記載ハ登記ト看做サレ又縦令其ノ中ノ物件カ他人ニ引渡サルルコトアルモ抵当権者ハ之ニ追及シ其ノ権利ヲ行ヒ得ルコトハ同法第五条第一項ノ規定ニ依リ明白ナルモ工場財団ニ関スル第十四条第一項ノ如キ規定存スレハ格別然ラサル場合ニ於テ目録記載ノ物件ハ工場ニ属スル土地又ハ建物ト包括シテ一個ノ不動産ヲ為セルモノト看做スコトヲ得サルノミナラス前記第五条第一項ノ規定ニ対シテハ第二項ノ規定設ケラレ民法第百九十二条乃至第百九十四条ノ適用ヲ妨ケサル旨規定シアリテ目録提出ノ場合ヲ除外セサルカ故ニ目録ニ記載セル動産ト雖之ヲ所有者ニ非サル他人ノ所有物ナリト誤信シ従テ又抵当権ノ設定アルコトヲモ知ラスシテ買受ケタル買主ニ民法第百九十二条ノ要件具備シタルトキハ即時ニ其ノ動産ノ所有権ヲ取得シ得ルモノト解スルヲ正当トス」(大判昭六・一・一四新聞三二二四・一一)。

【10】「工場抵当の目的たる建物に備附の動産は、所有者が建物から分離してこれを第三取得者に引渡した後と雖も、抵当権者は、その同意なくして分離されたものであるときは、その物に抵当権を行うことができることは工場抵当法第五条第一項の規定するところであるけれども、同条第二項はかかる動産について民法第百九十二条の適用を妨げないと規定している」(福岡高判昭二八・七・二二民集六・七・三八八)。

(2)（イ）農業用動産信用法によって登記された動産の対抗要件は、もっぱら登記であるが、それにもかかわらず、即時取得の対象となる(農動産一三I)。

（ロ）これに反して、登記登録を以てそれ自身の公示手段としているもの、すなわち、船舶・自動車・航空機等で既登記乃至既登録のものは、即時取得の対象とならないとするのが通説である(我妻・物権法一三二頁、柚木・判物総三三三頁)。

しかし、既登録自動車については最近の下級審判例にはつぎのごとく、即時取得の適用ありとするものがある。すなわち、

まず、古自動車を買受けるに際し、該自動車について所定の登録ができたら買おうと言つた所、売主甲会社がその手続を済ませて登録をしたので、これを買受け、引渡を受けた（登録については、判例集にはあらわれていないが、まず売主名義で登録して、これを買主名義に変えたか、初めから買主名義で登録したかは不明だが、いずれにせよ買主名義になつているものと思われる）が、該自動車が盗品であつた事案につき、判例は、

【11】「被告は、本件自動車の占有を訴外甲会社から取得するにつき無過失であつたということができ、いわゆる即時取得によりその所有権を取得したものであるとしなければならない」（東京地判昭三一・四・二八下級民集七・四・一〇七九）。

としている。

右の判例では、既登録自動車の公示手段が登録であることとの理論的関係の説明が没却されているが、この点を意識しつつ、なお既登録自動車に即時取得の適用あるべきことを認める判例も存する。すなわち、

Y会社がAに既登録自動車を売却し代金完済まではその所有権を留保したが、Aが該自動車を運転使用する必要上その登録名義はAにした。XはAより売渡担保として該自動車の引渡を受け、かつその登録名義変更に必要な印鑑証明書委任状その他の書類を手渡された（事実はなお複雑であるが略す）という事案につき、結局はXの即時取得を否定してはいるが、なお既登録自動車につき、

即時取得の成立すべきことを認めている。

【12】「Aが未だ代金を完済しない以上本件ダットサンの所有権は依然としてYに留保されているものとみるべきものであるが、Yが本件ダットサンの登録をなすにあたりAの所有名義をもつてなすことを承諾した以上、自動車の登録が所有権についての公証であることにかんがみ、最早右所有権の留保をもつて利害の関係を有する善意の第三者に対抗することができないものというべく、善意でAから本件ダットサンを買い受けた第三者は、これにより、その所有権を取得するか、少くとも民法第百九十二条の適用あるものとみるべきである。しかしながら、登録を受けた自動車の所有権の得喪は、登録を受けなければ第三者に対抗することができないことは、道路運送車両法（昭和二十六年法律第百八十五号）第五条の明定するところであるから、仮りに上叙売渡担保契約が内外共に所有権を控訴人に移転する趣旨のものであり、少くとも買戻期限の徒過により本件ダットサンの所有権が終局的にXに帰したものであり、または民法第百九十二条の適用によりXがその所有権を取得したとしても、まだX名義に登録を受けていないのであるから、Xは、その所有権取得をもつてYらに対抗することができないものというべく」（東京高判昭三一・一・二四下級民集七・一・七五）。

第三者たるYに対抗することはできないとしている。

自動車について、登録をその公示手段とする以上、登録自体に公信力を認める立法をとれば格別、一般の動産の如くに、即時取得を認めることが、理論的におかしいことは通説の言うとおりである。しかし登録に公信力を認めることは、不動産登記にも公信力を認めないわが法の体系からも容易には考えられず、しかも自動車登録がその性質上不動産登記より一層不正確なものであることを考えればなおさらである。しかし自動車の取引は相当に頻繁に行われ、その取引の安全をはかる必要の大であることは否定できず、判例とくに【12】が登録との関係を意識しつつ、即時取得を認めたことには敬意を表すべきであろう。この判例の考え方を押しすすめて整理してみるとつぎのようになると思われる。

(a)　既登録自動車についても、即時取得は成立する　(α) 真の権利者甲、登録名義人乙の場合乙から譲受けた場合はもちろんのこと、(β) 真の権利者および登録名義人共に甲なるとき乃至真の権利者甲、登録名義人乙なるとき丙から譲受けたときも他の要件さえそろっていれば即時取得がおこる。ただし (β) の場合には登録を調べなかつたことが有過失となり（後述本章四(五)(2)(イ)(c)）、即時取得を成立せしめないことが多いであろう。

(b)　以上によつて即時取得がおこつた場合にも、取得者が自己名義に登録をしないときは、即時取得を以て第三者に対抗しえない。したがつて、(a)の (β) の場合には自己名義に登録を移すことはできないから、実際上即時取得は意味がないことになる。すなわち、結果的には、登録自動車の即時取得は、普通の動産の即時取得の要件に加えて、前主が登録名義人であり、かつ取得者が自己名義に登録を移すことを必要とするということになる。この解決は理論的には不徹底であるが、具体的には通説よりも妥当であるかも知れない。

(3)　貨物引換証・船荷証券・倉庫証券の如き証券が発行されている動産も、それが運送業者乃至倉庫業者より、証券によらずして他人に引渡された後は、即時取得の対象となる。

判例は、運送業者から貨物引換証なしに荷物を受取つた者が、これを倉庫に入れて新たに倉庫証券の発行をうけ、自己の債務の担保のため、この倉庫証券によつて、荷物を銀行に質入した事案につき、銀行が質権を即時取得することを認めている。

【13】「運送人カ貨物引換証ト引換ニ非スシテ運送品ヲ引渡シタルトキト雖該証ノ所持人ハ引渡ヲ受ケタルモノヨリ運送品ニ付平穏且公然ニ過失ナクシテ善意ニ質権ヲ取得シタル者ノ権利ヲ否認スルコトヲ得サルモノトス」（大判昭七・二・二三民集一一・一四八頁）。

(4)　無記名債権は動産とみなされるゆえ（民八六Ⅲ）、無記名債権については、民法一九二条以下の規定が適用される。ただし有価証券たる無記名債権については、後出第五章二（一）参照。

二　取引行為の存在

（一）一九二条の文理解釈からは必ずしも明らかでないけれど、即時取得の制度は取引の安全を保護する制度であり、したがつて取引行為の存在を必要とする。

(1)　原始取得はだめである。判例は古くは、他人の山林を自己のものと誤信して伐採した場合につき、前出【3】のごとく判示して伐採者のために即時取得の成立することを認めたが、その後これを改めかかる場合につき即時取得の適用を否認している。すなわち、

【14】「民法第百九十二条ノ規定ハ現ニ動産タルモノヲ占有シ又ハ権原上動産タルヘキ性質ヲ有スルモノヲ其権原ニ基キテ占有シタル場合ニ付キ適用スヘキ規定ニシテ本来不動産ノ一部ヲ組成スルモノヲ事実上ノ行為ニ因リ動産ト為シテ占有シタル場合ニ適用スヘキ規定ニ非ス」（大判大四・五・二〇民録二一・七三〇）。

同旨の判例（大判昭七・五・一八民集一一・一九六三）もあつて、確定したものということができよう。

(2)　動産そのものの取引の存在を必要とする。不動産について取引行為があつただけでは充分でな

い。無権利者から山林を買入れ、後これを伐採したものは、この材木を即時取得しないことがほぼ判例として確定していることは二（一）(1)で述べた。

【15】「山林内ヨリ雑草木ヲ採収シタル者ハ不動産ノ一部ヲ組成スルモノヲ事実上ノ行為ニ因リ動産トシテ之ヲ占有シタルニ止マル」(大判大四・五・二〇民録二一・七三〇、〔14〕と同事件)。

から即時取得は生じない、とするものがある。

(3)　相続その他の包括承継の場合には即時取得は生じない。判例は後出【35】の事件につき、Y等の即時取得を認めることの前提として、Y等がA会社の包括承継人でないことを説くが、そのことの背景には、もしY等がA会社の包括承継人であれば、即時取得は起らないという理論を前提としている。

（二）　ここでいう取引とは、

(1)　売買や贈与などに限らず広い範囲で認められる。

(イ)　債務者に属しないものを、債権者が代物弁済または弁済として受領した場合は、即時取得が生ずる。たとえば、

【16】「債権者カ債務者ヨリ債権ノ弁済トシテ受領シタル金員カ仮令債務者カ他ヨリ騙取シタルモノナリトスルモ債権者ニシテ平穏且公然ニ之カ占有ヲ始メ善意ニシテ且過失ナカリシ場合ニ於テハ民法第百九十二条ノ規定ニ従ヒ該金員ノ所有権ヲ取得スルモノトス」(大判大一三・七・一八新体系民3・一二八ノ三二)。

また、AがXに対して負う債務の担保としてY所有の白米の上に質権が設定された。その後該白

米が仮処分により換価されたが、Xは質権保全のため代金債権の差押をなすこと（＝物上代位）を怠つた。Aは白米の買得者から代金を受領し、これをXに対する債務の弁済としてXに引渡した。Yより Xに該代金の返還を求めた事案につき、

【17】「質権者カ其目的物ノ換価代金ヲ差押ヘスシテ債務者カ第三債務者ヨリ領収シタルモノヲ其儘債務者ヨリ交付ヲ受ケタル場合ニ於テハ質権者ハ質権ノ実行ニ因リテ弁済ヲ受ケタルモノニ非スシテ唯債権者トシテ債務者ノ提供シタル金銭ヲ受領シ其債務ノ弁済ヲ受ケタルニ過キ」ないことを前提としつつ、「質権者カ質権ノ実行ニ因リテ質物ノ換価代金ヲ受取リタルモノニ非ストスルモ其弁済受領ノ当時平穏公然善意無過失ニテ之ヲ占有シタルモノトセハ之ヲ交付シタル債務者ニ於テ該金銭ハ自己ノ所有ニ非ストノ理由ヲ以テ之カ返還ヲ請求スルコトヲ得ス」（大判大元・一〇・二民録一八・七七二）。

として、かかる場合に即時取得の成立を認めている。

（ロ）　消費貸借につき、貸主の所有に属せざるものが借主に交付された場合にも、即時取得の適用があり、かつ即時取得の適用があるかぎりにおいて、消費貸借は有効に成立する。

講の世話人Xが講の金を講規約に反してYに貸付けた事案につき、判例はこれをX個人のYへの貸付なりと見、

【18】「原審ハXトY先代トノ間ニ本件金二千円ニ付消費貸借締結ノ合意成立シ該金員ノ授受アリタル際Y先代ハ善意無過失平穏公然ニ借主トシテ其ノ占有ヲ初メタル事実ヲ認定シタルコト原判文上之ヲ領シ得ヘク従テ其ノ時ニ於テY先代ハ民法第百九十二条ニヨリ其ノ所有権ヲ取得シタルモノト云フヘキコトハ洵ニ所論ノ如シ而シテ消費貸借ノ成立ニハ借主ニ於テ目的物ノ所有権ヲ取得スルコトヲ要スルハ勿論ナリト雖幵ハ貸主ヨリ

譲受クルコトニ因リテ以テ之ヲ取得スルコトヲ必トセス夫ノ民法第百九十二条ニ因ル取得亦固ヨリ可ナルカ故ニY先代ニ於テ右借入金ノ所有権ヲ取得シタルコト前記ノ如クナル以上本件消費貸借ハ之ニ因リ完全ニ成立シタルモノト云フヘシ」(大判昭九・四・六民集一三・四九二)。

としている。

ただし注意すべきは【16】【17】【18】ともその対象は金銭であり、本来即時取得の問題とならないものである(後述第五章二(二))ことである。しかし金銭以外のものが弁済乃至代物弁済され乃至消費貸借の対象となつた場合にも理論は【16】【17】【18】と同じであり、かかる場合にこそ即時取得の制度が機能を発揮するのである。

(2)　取引行為は当事者間の任意に出でたものであることを要せず、競売の場合の競落人についても即時取得の保護が適用される。これには目的物が債務者の所有でなかつた場合(【19】)と競売の基礎たる債権が存しなかつた場合(【20】)とあるが、ここの問題としては差異がない。

【19】　「動産ニ対スル強制競売ハ執達吏カ債務者所有ノ動産ヲ占有シ法律ノ手続ニ依リ之ヲ売却スヘキモノナレハ競落人ハ動産カ其ノ占有者タル債務者ノ所有ニ属シ執達吏ハ之ヲ競売スル権限ヲ有スルモノト信スルヲ普通トシ又競売手続ノ性質上競落人ノ占有取得ハ平穏且公然ニ行ハルヘキモノナルカ故ニ甲カ競売ニ因リテ本訴物件ヲ取得シタリトノ上告人主張ハ自然甲カ平穏且公然ニ本訴物件ノ占有ヲ始メ善意ニシテ且過失ナカリシ事実ヲ主張シタルモノト解シ得ラレサルニアラス若シ此ノ事実ニシテ是認セラルルニ於テハ本訴物件カ乙ノ所有ニ属セサリシモノナリトスルモ甲ハ競落ニ依リ民法第百九十二条ニ基キ其ノ所有権ヲ取得シタルコトトナル」(大判昭七・一二・二六新体系民3・一一二八ノ三〇)。

【20】「動産ノ競落人カ善意ニシテ且過失ナカリシトキハ民法第百九十二条ノ規定ニ依リ即時ニ其動産ノ上ニ行使スル権利ヲ取得スヘキモノナルカ故ニ右甲カ本件競売ノ基本タル債権ノ既ニ消滅シタルコトヲ知リナカラ前記帽章ヲ競落シタリトノ証拠若クハ過失ニ因リ右債権ノ消滅シタルコトヲ知ラサリシトノ証拠並ニ右甲カ競売ノ申込ヲ為スニ当リ乙ノ為メニスル意思ヲ表示シタリトノ証拠ノ見ルヘキモノナキ本件ニ在リテハ右海軍帽章ハ一応前記丙ノ所有ニ帰属シタルモノト」す（東京控判大一三・七・八新聞二二九三・一五）。

(三)　ここでいう取引とは、それによって単なる占有の移転が招来されるだけのものでは足りず、所有権その他の物権の移転を目的とするものでなくてはならぬ。一時預所から自己の外套の返還を受ける際に、誤って他人の外套を受取ってしまったという仮設例のごとき場合には即時取得の適用はない。

実例としては、Aがその所有の船舶をYに対する債務の担保のため、譲渡担保とし、Yは占有改定によって該船舶の引渡を受け、かつこれを使用貸借によりAに引続き使用せしめた。その後Aが債務を履行しなかったので該船舶はYに帰属した。その後AはXに対する債務の担保として該船舶を譲渡担保に供し、後に該船舶はXに引渡された。XよりYに対し該船舶の所有権確認を求めた事案につき、判例は、

【21】「惟うに民法第百九十二条は無権利の動産占有者を真実の権利者であると信じ、その占有者より売買或は質権設定等の取引行為によりその占有を承継的に取得する場合においてのみその取引の安全を確保する趣旨からしてその占有取得者に原始的に所有権、質権を取得せしめるものであると解すべきである。然るにXは本件船舶の占有者たる右Aとの間には何等の取引はなく、従ってその占有取得は取引関係に基き為されたもの

ではない。それはA会社の取締役たるBが本件船舶の所有者はYであることを知らずXを所有者と誤認しXの引渡請求を容れてその引渡が行はれたことは前記証人Bの証言により認められる。このように取引関係に基くことなくして誤って占有が取得された場合には前段説示のように右法条に該当せず即時取得の効果は発生しないからXが本件船舶の所有権を取得する理由はない」（高松高判昭二九・五・一三民集七・六・四七八）。

としてXの即時取得の主張を排斥している。もつともこの場合、AよりXへの引渡が果して取引行為に基くことのない占有移転といえるかは疑問である。AX間に譲渡担保の設定が行われ、その結果としてこの占有移転が行われたと解するのが自然であるから。もしそうだとすればこれによつて即時取得が生ずると解さざるをえず、判決の結果は不当であることになる。取引行為が行われた時と占有移転がなされた時との間に距りがあつても即時取得が成立するのはもちろんである（本事案においてXの即時取得が否定されたのはむしろ他の点で即時取得の要件が欠けていたのではあるまいか——原審はXの占有を平穏ならずとしている）。もつとも、前述したオーバーの仮設例においてもその引渡は寄託という契約関係から生ずる義務の履行としてなされたのであり、やはり取引関係（たとえそれが無償であるとしても）にもとづいたものであることは変りないが、この仮設例においては即時取得が生じないことは明らかである。その理由は【21】が云うように「取引関係にもとづかない」占有移転だからではなくて、所有権その他物権の移転を目的とする取引にもとづいて占有移転がなされたという要件が欠けているからである。換言すればもし前主が真の権利者であつたならば所有権その他の物権の移転が行われたであろうという状況にない場合には、即時取得は生じないのである。

三　前主が無権利者であること

即時取得は、無権利者を真の権利者であると誤信して、これから物権譲渡を受ける行為をしたものは、前主が無権利者であるにかかわらず、該物権を取得する制度である。

【22】「民法第百九十二条ノ規定ハ動産ノ所有権者ニ非サル占有者カ自ラ所有者ナリト称シ第三者ニ該動産ヲ譲渡シタル場合ニ其ノ善意取得者ヲ保護スル為ニ真正ノ所有者ノ追及権ヲ制限スル趣旨ニ出テタルモノナレハ其ノ規定ハ無権利者ヨリ動産ヲ取得シタル場合即チ譲渡人ニ権利ナキ場合ノミニ適用アルモノニシテ真正ノ権利者ヨリ之ヲ譲受ケタル場合ニハ其ノ適用ナキモノトス」(朝鮮高判大一五・一〇・五新体系民3・一二七)。

なる判例があり、その事案の内容は知ることをえない。前主が真の権利者であれば普通の承継取得が起るのであつて、始めから即時取得の問題は起らないが、前主が無権利者であることを即時取得の成立のための要件としてあげることは――たとえば取得時効の要件として占有者が無権利者であることをあげるのと同様に――積極的な意味はない。けだし即時取得の成立を主張するものは、前主が無権利者なることを証明する必要なく、また即時取得の不成立なることを主張するものも、前主が無権利者でないことを証明する利益がないからである。前主が無権利者であることを要すと説くことは(二)にあげるごとき場合には即時取得の適用なしという点で意味をもつだけである。

(一)　さて、前主が無権利者である場合としては、

(1)　前主が所有者でないのに、これを所有者と誤信して取引する場合がもつとも多い。

(イ)　前主が単なる賃借権者乃至受寄者にすぎない場合がもつとも普通である。なお前主が真の独

立の占有を有せず単なる所持の機関であるにすぎない場合にも即時取得の生じうべきことについては後述第四章一（三）参照。

（ロ）　前主が買主として所有しているが、その所有の基礎になつている・前主を買主とする売買が無効乃至取消された場合。この場合には前主は単なる占有者にすぎず、即時取得の問題となる。ただ、先行行為の無効・取消が善意の第三者に対抗しえないものである場合（たとえば、虚偽表示の無効九四・II、詐欺による取消九六・III）は、新取得者は先行行為を有効なものと主張することができ、その場合には即時取得の問題は生じて来ない。

（ハ）　代理人からある物権の譲渡設定を受けた場合、その本人が無権利者であった場合は（イ）（ロ）と同一の問題を生ずる。この問題と混同されやすいのは、真の権利者たる本人の代理人と称するものと取引をした場合で、この場合にはせいぜい表見代理の問題になるにすぎず区別を要する。

(2)　前主は真の所有者であるが、その物の上に他の権利があり、所有者は本来その物の処分を許されていない場合にも即時取得が問題となりうる。

（イ）　抵当権の設定されている不動産の一部、またかかる不動産の従物を所有者が分離して処分した場合（一（二）(1)（イ））。

（ロ）　工場財団を組成する器具・機械類を、工場所有者が処分した場合（大判昭八・五・二四民集一二・一五六五、我妻・判民一一〇事件）および財団を組成しない工場に属する土地や建物上の抵当権が、土地建物上の動産に及ぶ場合、工場所有者がこの動産を処分した場合については、前出【8】および【10】参照。なお【10】の事案について判例は前述した論述に引きつづいて、次のごとくに述べている。

【23】「ところで工場抵当の目的たる建物の備附物の所有者は、抵当権者の同意なくして備附物の分離をなすことを得ないけれども、その分離した物に対しては依然所有者であり処分権を有しているのであるから、かかる所有者から備附物の引渡を受けた第三取得者は、処分権のないものから権利を取得したのではなく、抵当権者の同意なくして分離されたものを取得したものでつまり、抵当権の負担のついた物を取得したこととなるのであるが、民法第百九十二条の要件を具備するときは抵当権は消滅し第三取得者は抵当権の負担のない動産上の権利を取得することとなさねばならない」（福岡高判昭二八・七・二二民集六・七・三八八、〔10〕と同事案）。

（ハ）　差押を受けている動産を、所有者が処分した場合

【24】「差押にかかる動産についても民法第百九十二条の適用があると解すべきである」（仙台地判昭二九・一〇・一一、下級民集五・一〇・一六九七）。

本判例は下級審のものであるが、いろいろの点で問題になる点を含んでいるので、ここで事実のあらましを述べておく。Aの債権者Yはその債権にもとづきA所有の動産多数を差押えた。その後BはA所有の家屋を買取り、引渡及び登記移転を受けずそのままこれをXに売渡し、Xは該家屋を直接Aより引渡を受け、かつAより登記移転を受けた。しかるに前述Yの差押えた諸動産中には該家屋の従物と見られるものがあつたため、B乃至Xのために即時取得が生じたかが問題とされ、Xについてはこれが原則的には肯定されている（ただし、Bは引渡を受けていないゆえ即時取得の保護をうけえぬ。またXについても若干の動産に関しては有過失なるゆえ即時取得は、成立しないとされている。後述四（五）(2)（ロ）(a)参照）。

以上の（イ）（ロ）（ハ）の場合には真の所有者からの譲渡であるにもかかわらず即時取得が生ずる。ただしこれらの場合には取得者の善意無過失の態様（後述本章四（四））および取得される権利の態様（後述第三章一（四））

につき、一般の即時取得の場合と若干差異を生ずる。

(3)　他人の動産を自己の名において処分する権限がある者、たとえば問屋・質権者・執行吏などがその権限に基いて処分をする場合に、この権限が欠けている場合。これには、かかる者の処分権限そのものが欠けている場合（たとえば問屋が当該他人の物を売る権限を与えられていなかつた場合・質権が不存在の場合）と、その物が当該の他人に属していない場合（質物が質権設定当時設定者に属しなかつたとき・問屋の販売した物が委託者の物でなかつたとき）とがある。両者とも即時取得の問題となるが、前者は実質的には表見代理の問題に近似する。判例としては、差押えをされ競売された財産が債務者に属しなかつた場合（【19】）と競売の基礎たる債権が存しなかつた場合（【20】）とがある。

(二)　即時取得の規定は、無権利者たる前者から、物権移転乃至物権設定をうけた者を保護するものであるが、それは前主が無権利であつたという瑕疵を補修するのみであつて、前主からの取得行為そのものに存する瑕疵を補修しない。すなわち、前主の無能力・前主の代理人の代理権の不存在・錯誤の存在によつて物権変動が生じない場合には、たとえ取得者がこれらの瑕疵の不存在を信じていた場合にも、即時取得は生じない。けだし、かく解釈しなければ無能力者制度・無権代理制度・錯誤の制度は無意味になるからである（我妻・物権法一三四頁、末川・物権法二三六頁、柚木・判物総三四五頁）。

【25】　「民法第百九十二条ノ規定ハ動産ノ所有権者ニ非サル占有者カ自ラ所有者ナリト称シ第三者ニ該動産ヲ譲渡シタル場合ニ其ノ善意取得者ヲ保護スル為ニ真正ノ所有者ノ追及権ヲ制限スル趣旨ニ出テタルモノナレハ其ノ規定ハ無権利者ヨリ動産ヲ取得シタル場合即チ譲渡人ニ権利ナキ場合ノミニ適用アルモノニシテ真正ノ

権利者ヨリ之ヲ譲受ケタル場合ニハ其ノ適用ナキモノトス」（朝高判大一五・一〇・五新体系民3・一二七、前出〔22〕と同事案）。

しかし、「真正ノ権利者」より譲渡を受けた場合には、絶対に即時取得の問題を生じないというのではないということは、（一）の(2)ですでに述べたことである。

なお、最近の下級審判例にも同趣旨のものがある。具体的事案は複雑であるが、他の諸関係においても引用しなければならないから、ここで略述しておく。

訴外A会社の代表者A'は訴外Bに対する債務の代物弁済としてA会社の動産をBに譲渡し同時にそれをBから賃借することとし、引続き該動産を占有使用していた。しかしBはA会社の取締役であつて、かれへの会社財産の譲渡は取締役会の承認を必要としたが、この譲渡の際には、この必要な手続が踏まれなかつた。その後BはXに対する「代物弁済として本件物件をXに譲渡すると共にBにおいてXの代理占有者として右物件を保管するが、Xより代理保管解任の申出があつたときはXは何時でも右物件を適当に処置することができる旨の契約が締結せられた」。他方AはYに対する「債務の担保のため本件物件の所有権をYに譲渡しYはAをして右物件を代理占有せしめること」とした。その後XはA会社の工場に据付けてあつた本件物件たる機械を引取つた。所有権がXYのいずれにあるかが争われる。判決は結局Yを勝訴せしめているが、ここでの問題はその前提として、BがAより本件物件の所有権を得ていないとする点である。

【26】　AB間の譲渡行為は所定の手続を経ていないから「A'がA会社の代表者としてBとの間に締結した前記本件物件譲渡契約並賃貸借契約は無権代理行為としての効力を有するに過ぎない。然るにA会社が右無権代

理行為を追認したことはXの主張並に立証しないところであるから結局右契約はA会社の追認を欠き従つて無効に終つたものと結論せざるを得ない。次にXはBにおいて右譲渡契約締結に際し、A会社から平穏公然に且善意無過失で本件物件の占有を始めているから即時に本件物件の所有権を取得した旨主張するけれども、民法第百九十二条は譲渡人の無権利者なる場合に適用すべき規定で右認定の如き譲渡契約自体の無効なる場合に適用すべきでないからXの右主張は採用に値しない。従つてBは本件物件の所有権を取得できなかつたものと断ぜざるを得ない」（大阪地判昭二九・八・一〇下級民集五・八・一三〇三）。

四　善意・無過失・平穏・公然

即時取得が成立するためには、取得者において相手方が無権利者でない（処分する権限がある）と誤信し、かつそう誤信するにつき過失のないことを要する。また取引は平穏公然に行わなければならない。

（一）　以上の要件は、取引の時すなわち占有承継の時に存すれば足りる。善意という要件については、

【27】「民法施行以後ニ在テ動産ヲ占有スル者カ民法第百九十二条ノ条件ヲ具備シ其動産ノ上ニ行使スル権利ヲ取得シタルトキハ爾後縦令贓物タルヲ知ルモ既ニ取得シタル権利ニ何等ノ消長ヲ及サス」（大判明三二・三・一六刑録五・三・七六）。

なる判例があり、さらに、前出【26】と同事案において、Bは物件を即時取得せず（【26】参照）、またBよりXへの譲渡行為の当時Xは物件の占有の移転を得ていなかつたからその時には即時取得の生じなかつたことを前提とし、その後XがA会社の工場に据付けてあつた機械の引取をなした時に

は、Xが即時取得をしたかにつき

【28】　「X主張の日時頃Xにおいて当時A会社の工場に据付けてあつた本件物件たる機械をYが持去ることを虞れてこれを引取つたことが認められるが即時取得の要件たる前主の無権利者たることについての善意（不知）は占有取得の際存在することを必要とすべきは民法第百九十二条の解釈上疑を容れないものというべく而してXが右引取当時は後記認定の如くA会社が本件物件につきYに譲渡していたのであるからXとしては直接占有者たるA会社や上記認定の如く本件物件を持去る虞のあつたYについて本件物件の権利関係を調査すべきに拘らず調査せずに急拠持去つた事情に徴し到底XはBの無権利者なることの善意につき無過失とは認め難い」（大阪地判昭二九・八・一〇下級民集五・八・一三〇三）。

としてXの即時取得の主張を排斥している。

（二）　善意・無過失・平穏・公然についての挙証責任

(1)　善意・平穏・公然については推定される。

(2)　無過失については即時取得を主張するものがこれを主張せねばならぬとされている。

【29】　「占有者ハ所有ノ意思ヲ以テ善意平穏且公然ニ占有ヲ為スモノト推定スヘキハ所論ノ如シト雖モ民法第百九十二条ノ即時取得ノ適用アルニハ更ニ其ノ占有カ無過失ナルコトヲ要ス従テ同条ノ規定ニ依リ動産ノ所有権ヲ取得シタリト主張スル者ハ其ノ占有ノ始メニアタリ過失ナカリシコトヲ立証セサル可カラス」（大判昭七・六・二九民集一一・一二六七）。

同旨の判例は少くない（大判明四一・九・一民録一四・八七六、大判昭五・五・一〇新聞三一四五・一二、大判昭八・五・二四民集一二・一五六五）。ただし、有力な学説は無過失の挙証責任については、「即時取得の場合には（一八六条第一項とは）別に解釈しなければならない。即時取得は処分の権限のない占有者を処分の権限があると誤信する場合だが、占有者は、第一八八条によって権利の推定を受ける。即ち、処分権があると称して取引をする占有者は、その処分権があるものと推定される。従って、これと取引をする者は、そう信じても過失がないといわねばならない。いいかえれば、即時取得の場合には取得者の無過失も第一八八条によって推定されることになる」(我妻・物権法一三五頁、同旨柚木・判物総三四七頁)としている。けれども判例の実際は、過失の存在を認めることが比較的少いから、挙証責任をいずれに解しても結果は余り変らない。

(三)　平穏公然乃至強暴隠秘

【30】「強制競売ノ性質上反証ナキ限リ競落物件ノ占有ヲ得タル競落人ハ平穏且ツ公然ニ該物件ニ付占有ヲ始メタルモノト認ムヘキモノトス」(東京控判大二・七・一〇新聞八八八・二三)。

(四)　善意乃至悪意

善意とか悪意とは、譲渡人が所有者でないことについてである。

【31】「善意取得ノ原則ハ譲渡人ノ無権利トイフ瑕疵ヲ補充スル効果ヲ有スレトモ其ノ他ノ瑕疵ヲ補充スルノ効力ヲ有セス又其ノ所謂善意トイフコトモ譲受人ニ於テ譲渡人カ当該動産ノ所有者ニ非サルコトヲ知ラサルノ義ニ解スヘキモノトス」(朝高判大一五・一〇・五新体系民3・一二八・一〇、〔22〕と同事件)。

ただし、抵当権の及んでいる物件を真の所有者から譲受けて、負担なき所有権を取得する場合(前出本章(2)三(一))には、善意悪意乃至過失の有無は、前主が所有者でないことについてでなく、抵当権者の同意のないことである。【10】の事案につき、工場抵当の目的たる建物の備附物の所有者からこれを譲受けた場合、一九二条の「要件として具備することを要する善意無過失は、処分者の無権利者であることについてではなく、いわゆる備附物が抵当権者の同意なくして分離されたということ、すなわち抵当権の存することを知らず且その知らざるについて過失のないこと、別言すれば備附物の分離は抵当権者の同意を得たものであると信じ、且その信ずるについて過失のないことを要するものと解すべきである」(柚木・判物総三三三頁)と学説は説いている。

悪意とされる例としては

【32】「上告人カ強制競売ノ目的タル本件動産物件カ債務者タル訴外小口今朝吉ノ所有ニアラスシテ被上告人ノ所有ニ属スルコトヲ知悉シナカラ之ヲ競落シタルコトハ原判決ノ認定シタル所ニシテ強制競売ニ付テハ民法ニ於ケル売買ノ規定ニ従フヘキコト同法第五百六十八条第五百七十条ノ法意ニ照シ明ナレハ債務者ノ所有ニアラサルコトヲ知リナカラ競買ノ申込ヲ為シ競落人トナリタル者ハ悪意ノ買主ト同一地位ニ在ルモノト謂フヘク従テ該物件ノ占有ニ付テハ民法第百九十二条ニ所謂善意ニ占有ヲ始メタルモノト謂フコトヲ得サルヲ以テ上告人ハ同条ニ依リ該物件ノ所有権ヲ取得スルニ由ナキモノトス」(大判昭六・一一・二六新聞三三四七・一四)。

なお、占有の取得が占有代理人によって行われる場合には、占有代理人の悪意は即時取得の発生を阻却する。

訴外A会社はXに対する債務の担保のため、所有の動産をXに譲渡担保として譲渡し、占有改定により引続きAに於て該物件の占有保管をなす契約をなした。その後Aは同様にYに対する債務の担保のため、Yに譲渡担保として本件物件を譲渡し、物件は引続きAが保管した(この場合には占有改定はなかつたものと見られている)。後Yが強制執行をなし、執行吏は該物件に対するAの占有を解き、之をYの代理人Y′に引渡した。しかしY′は該物件がすでにXの譲渡担保とされていた事実を知悉している。この事案につき、強制執行の前後を通じて占有事実の変化がなかつたから、これによつては即時取得は起らないとする（後述五（三）(1)（イ）(a)）と共に、

【33】「加之前示強制執行ノ結果Yカ右法条ニ所謂占有ヲ始メタル者ニ該当スルニ至リタリト仮定スルモYニ於テ其ノ占有ヲ始メタルハ前示Y′ニ依リタルコトYノ是認スルトコロニシテ此ノ如ク代理人ニ依リテ占有ヲ始メタル場合ニ占有者ノ善意悪意等ハ民法第百一条ノ規定ヲ類推シ其ノ代理人ニ付之レヲ定ムヘキモノト解スルヲ相当トスルトコロ…中略…右Y′ハ既ニ前記物件ノ所有権カAヨリXニ譲渡セラレ同時ニ夫レカXヨリ無償ニテAニ貸与セラレ尠クトモ之レニ付キ占有改定ノ方法ニ依ル引渡ノ行ハレ居リタル事実ヲ前示強制執行以前ニ於テ十分知了シ居リタル事実ヲ認ムルニ足ルヲ以テ」「Yハ前記物件ニ対スル占有ヲ始ムルニ付善意ナリシモノト謂フヲ得ス従ツテ此点ヨリ観ルモ前示強制執行ノ結果民法第百九十二条ニ依リ前記物件ノ所有権ヲ取得シタリト為スYノ抗弁ハ排斥ヲ免レサルモノトス」（東京控判昭一二・一〇・九新聞四二一五・九）。

としている。

（五）無過失乃至有過失

即時取得の要件としての無過失とは

【34】「民法第百九十二条ハ動産ニ付キ権利ヲ有セサル者ヨリ占有ヲ取得シタル者ヲ保護スルノ主旨ニ出テタルモノナレハ同法ニ所謂過失ナキトキトハ主トシテ占有取得ノ相手方ニ権利ナキ事実ヲ知ラサルニ付キ過失ナキ場合ヲ指称スルモノト解スルヲ相当トス」（大判大七・一一・八民録二四・二一三八）。

無過失・有過失についての抽象的基準を求めることはむづかしいが以下にこの点についての判例をあげる。

(1)　無過失とされる例

X所有の物件をA会社が賃借使用していたが、Aが解散しY等が会社の財産全部を承継し、したがって前記の物件をも、それがXに属しないとは知らずに、承継した。XよりYに対する返還請求につき、原審は、Yの即時取得を認め、Xの請求を却けた。Xの上告理由は、Y等はA会社の包括承継人なるゆえ、AのXに対する返還義務を承継するものであること、およびY等はA会社の株主乃至有力な債権者で、会社の資産状況を知悉しているべきにかかわらず、該物件がA会社の所有と誤信したのは、有過失である、というのである。判決はまずY等はAの包括承継人でないことも説いた（二(二)(3)参照）のち、

【35】「会社ノ債権者及株主ハ何時ニテモ会社ノ財産目録等ノ書類ノ閲覧ヲ請求スルコトヲ得ルヲ以テ若シ此等ノ書類ニ本訴物件カ会社ノ所有トシテ記載シアラサランカ或ハ債権者タリ株主タルYニ於テ本訴物件ヲA会社ノ所有ナリト信シタルニ付過失アリト謂フヲ得ヘキヤモ測ラサレトモ原判決ノ認ムル所ニ依レハA会社ノ創立趣旨書及財産目録ニハ本訴物件カA会社ノ所有ナル旨記載アリテA会社ニ於テ之ヲ営業ニ使用シ居リ会社ノ役員モ該物件ヲXヨリ譲受ケテ会社ノ所有トナリタリト信シ居タルモノナレハYカA会社ノ資産状況ヲ調査スルノ機会アリトテYニ於テ本件物件カA会社ノ所有ニ非サルコトヲ知ラサリシニ付過失ナシト原院カ認定シタルヲ実験則ニ反シタルモノト為スヲ得ス」（大判昭六・二・二新聞三二三二・八）。

として上告を棄却した。

また、

公園内の都有工作物を使用し営業する許可を得ていたX会社は、その営業をAに委ね、Aは同公

園内で営業する者の組織する商店会に自己名義で出席し会費や使用料を支払つていたが、他方店舗内にある造作・営業用什器はXの所有であつた。その後AはY等に同工作物内での営業権およびこれらの造作・什器を譲渡した事案につき、

【36】「右に認定したような事情の下においては、Y等が本件各物件をAより譲り受け且つその引渡を受け、これが占有を取得したのは、善意にして平穏且つ公然であつたことは勿論、Aの所有に属していたものと信じたことについては相当な事情があつたものであつて、即ち、この点について過失がなかつたものと認めるのが相当である」(東京高判昭二六・一二・四下級民集二・一二・一三九〇)。

としており、また、

統制品たる電気銅を割当証明書なしに購入したが、それが盗品(盗品であつたこととの関係で一九四条の適用の問題が別に起る後述第四章三(三)参照)であつた事案につき、最高裁は、売主が相当信用のある商人で、かれから買受けた電気銅が大部分盗品ではなかつたというような事情を考慮して、取得者が売主の本件物件非所有者であることを知らなかつた点において相当の注意を欠いたとはいえないとして

【37】「民法第一九二条にいわゆる『善意ニシテ且過失ナキトキ』とは、動産の占有を始めた者において、取引の相手方がその動産につき無権利者でないと誤信し且つかく信ずるにつき過失のなかつたときのことをいい、その動産が統制品であるにかかわらず、割当証明書によらないで買い受けたという事実は、右の善意無過失を決するための要件とならない」(最判昭二六・一一・二七民集五・一三・七七五、後出〔72〕と同事件)。

また、

医師Yが所有のラジュウムの売却をAに依頼したところ、Aはこれを自己のものとして、自己の

債務の担保のためXに質入した事案につき

【38】「以上の事実によればAにおいて自己の債務の担保のため本件ラジュウムを質入する権限はなかつたけれども、Xが右質物はAの所有であつて同人には質入の権限があるものと信じたのはYがAにその名において本件ラジュウムを売却することを委任し、Aはその委任事務処理のためこれを所持して自己の所有として売却に奔走しており、かつ自己を所有者と表示したがん研究所の品質鑑定書までそえていたことにもとずくのであつて、このような事情のもとでXがAをラジュウムの所有者と信ずるのはまことに無理からぬところであつて、従つてまた所有者である以上はもちろん質入の権限もあるものと信ずることも自然のなりゆきであつて、これをもつて過失ありということはできない。もちろん本件ラジュウムのような物件はがんの治療に関係ある医師とか研究者とかその他特殊の人の所有するものであつて一般の人が所有することはまれであるとはいい得るのであろうが、右のような事情と同様の場合にその道の関係者でない者でもラジュウムについて処分の権限をもつことはあり得るところであつて、ラジュウムが特殊の物件であることによつて直ちにXに過失があるものと断定すべきものではない」（東京高判昭二八・九・二二民集六・一〇・六三三）。

としてXが該ラジュウムの上に質権を即時取得したこと（この点につき後述第三章一(一)）を認めている。

(2)　過失ありとされる事例

（イ）　前主が真の権利者なりや否やを容易に調査する方法があるのにこれを怠つた時は、過失ありとされることが多い。たとえば、(a)　立木法によらない立木の取引につき

【39】「立木地磐ノ所有権ハ既登記ノ場合ニ在リテハ登記簿ヲ調査スルコトニ依リ容易ニ之ヲ知リ得ルト同時ニ之カ調査ヲ為スヲ以テ取引上必要ナル注意ト謂ハサルヘカラサルヲ以テ之カ調査ヲ怠リタル場合ニハ立木

ノ所有権カ地磐ノ所有者以外ノ者ニ属スルモノナリト信シタリトスルモ其善意ナルコトニ付キ過失アルモノト」す（大判大一〇・二・一七民録二七・三二九）。

また、(b)馬匹の取引につき馬籍の取調をなさず（大判明三五・三・二〇新聞八〇・一三）、(c)自動車の売買につき、機関を点検することを怠つたため、実際の機関番号と代金受領証に記載された機関番号とが相違することを発見しえなかつた場合（大判昭一〇・七・九全集二〇・一四後述（ハ）(b)に於ても問題となる）や、「検査官庁ニ就キ其所有権者ヲ探知シ売主カ果シテ正当ニ其処分権ヲ有スルヤ否ヤヲ調査スル」（長崎控判大一一・九・二八新聞二〇六五・一九）ことを怠つた時（ただし今日における既登録自動車に関する即時取得の問題については、前述一（二）(2)（ロ））、(d)漁船の取引に当り、船鑑札・漁船登録票の存否を確かめることを怠つた時（函館地判昭二五・二・三下級民集一・二・一五〇）。

（ロ）　物自体に権利関係を示すべき標識がついているのに、これに注意しなかつた場合

たとえば、（a）箪笥二棹中一棹の抽斗中に差押の標示が貼付されていて、僅かの注意を用い右箪笥を調査すれば右標示を発見することができ、このことから他の一棹についても差押されていることを知り得たのに、之を確めなかつた場合、右二棹の箪笥については即時取得は成立しない（仙台地判昭二九・一〇・一一、下級民集五・一〇・一六九七、前述〔24〕と同事件）。(b)賠償予定物資を国家から一時使用の認可を受けて占有していた者から善意で譲渡担保の設定を受けた者も、該物件に白ペンキで特異な番号が記入されていたことで、賠償予定物件であることを知りうべかりしものであり、かつ国有財産の払下の際には代金完済まで政府が所有権留保をするのが一般の常識であつて、前主は譲渡担保設定に際してまだ代金半額以上が未払であることを告知した場合（この点は後述（ハ）(b)の問題である）につき判例は有過失であるとして即時取得を認めない（大阪地判昭二九・一〇・二一下級民集五・一〇

〇・一七四二)。

(ハ)　社会通念上、取引物が相手方に属しない公算が多い時

(a)相手方が職業上他人の物の寄託等を受けている公算が多い時、たとえば運送人から玄米を代物弁済として受取つた場合(大判昭五・五・一〇新聞三一四五・一二)、紺屋から白木綿を質にとつた場合(大判大七・一一・八民録二四・二一三八)。(b)目的物の所有権を占有者が未だ取得していない公算が多い時。たとえば、自動車については月賦販売なされ、その代金完済までは所有権が売主に留保されていることは運転手業者間ではよく知られているのに、充分な調査もせず運転手業者から古自動車を買つた場合(大判大一〇・七・九全集二〇・一四前出(イ)(c)参照)。なお前述(ロ)(b)の事案もこの問題を含んでいる。

(ニ)　具体的な事情から、相手方の権利の真正につき疑問が生ずべき場合

(a)　工業用薬品類乃至ヤミ物資の供給をしていた者から四十万円の債務の担保としてダイヤモンドを受取り、後これを代物辨済として取得した事案につき判例は、

【40】「取引の当事者の間に日常くりかえし行われている取引の品と同種もしくは関連ある種類の品物については、譲渡もしくは質入をしようとする占有者の権限についてその者のいちおうの説明で満足しても過失ありとすべきでない場合が多いであろうが、当事者双方にとつて取引上珍しい品である場合には、占有者の権限についてさきの場合にくらべて、よりつよい不審の念をおこすのは通常であるから、かような場合には、これよりつよい不審がとけたのは無理もないとみられる資料、即ち合理的に考える能力があり、相当な生活経験がある者でもこのよりつよい不審を解消したであろうとみられる資料をみた上で権限ありと信じたのでなけれ

ば、無過失ということはできない」（東京高判昭二八・八・二四民集六・八・四二一）。

(b)　A会社所有の金庫をXが公売で取得しこれを引取りに赴いた所、A会社の営業所を住居としているYが引渡を拒んだので、Xは持参した運搬用具をY方に預けて立去つた。その後、該金庫の鍵および暗号をXから受取つていたBを、Yは該金庫の所有者なりと誤信しBから該金庫を譲受けた。XよりYに対し引渡請求。Yは即時取得を主張する事案につき

【41】「Yは未だ右運搬用具を自ら保管している間にBとの間に右金庫及び鍵につき売買契約を締結し、しかも右の様な事情の下においては右金庫及び鍵の所有関係につき一応Xに問合せを為す等の調査をすべきであるのにその際その調査を怠つた事実を認めるに十分で右事実によればYは善意であることにつき過失があつたというべきである」（鳥取地判昭二四・一二・一六下級民集一・一・二二一）。

としている。

（ホ）　相手方が目的物の所有者である時（かかる場合にも即時取得の生じうべきことについては前述本章三（二）(2)）でも、その上に抵当権の及んでいることを知つているときには、当該譲渡につき抵当権者の同意あることを確める必要がある。

【42】「控訴人及び訴外樋口好松は、本件物件がもともと本件工場抵当の目的たる建物に備附のものであることは承知していたが、これを建物から分離して処分するについては抵当権者の同意を得ている旨の所有者（抵当債務者）の言を信じて、つまり善意にて所有者から買受けたことは、これを認めることができるけれども、右のように、控訴人等は本件物件がもともと工場抵当の目的たる建物に備附のものであることは承知していたのであるから、所有者が本件物件を該建物より分離することすなわち備附物たることを廃止することは抵当権者の同意を得ていると信ずるについて過失がなかつたと言いうるがためには、単に所有者の前記のような

一方的な言明のみをもつては足らず、更に進んでその事実の有無を確めるため抵当権者に問合せるとか或は所有者にこれを証するに足る書面の提示を求めるなどの方法をとることを要するものと解すべきところ、控訴人及び樋口好松においてかかる事実の有無を確める手段をとつたことについてはこれを認め得べき何等の証拠も存しないので、同人等が本件物件の分離すなわち備附物たることの廃止は抵当権者の同意を得ていると信ずるについて過失がなかつたとはいえない」（福岡高判昭二八・七・二二民集六・七・三八八、前出〔10〕と同事件）。

五　前主の占有を信頼し、その占有を承継すること

（一）　即時取得が成立するためには、前主が無権利者なるにかかわらず目的物を占有し、取得者が、この占有のゆえに前主を真の権利者なりと誤信し、これと取引をしたことを要する。すなわち前主の有した占有が即時取得の基礎である。占有のない者を権利者と信じても、即時取得は生じない。

（二）　即時取得が成立するためには、前主への信頼の基礎となつた前主の占有を取得者が承継することを要する。

(1)　取得者が占有を原始的に取得した時は、即時取得が成立しない。このことは即時取得が成立するためには、取引行為の存在を必要とすることからも導き出される（前出二（一）判例〔14〕）。

(2)　取得者が占有を取得しない時は即時取得は生じない。しかし、かかる場合には、多くは占有改定があるものと見られるから、即時取得に必要なる占有取得とは占有改定による場合をも含むと解すれば（（三）参照）、この点は余り問題でないことになる。

(3)　前主の占有の承継は必ずしも前主の任意によることを要せず、強制執行の結果であつてもよ

い。前出【33】の事案において、無権利者Aから譲渡担保の設定を受けたものが、目的物に対する強制執行をなし、執行吏がAの占有を解きYの代理人Y'に該物件を引渡した場合、Yのために即時取得が起りうるとしている(東京控判昭一二・一〇・九新聞四二一五・九)。

(三)　即時取得の成立のためには、取得者が現実の引渡を受けることを要するか。即時取得に必要な占有の承継が現実の引渡によつてなされる場合は問題ないが、占有権の観念的な移転の方法によつて引渡がなされた場合にも即時取得が成立するであろうか。占有改定についてもつとも問題となる。

(1)　占有改定については、判例は動揺し、かつては、これを肯定するものと否定するものとが入交つていたが、その後、否定に確定したごとくであつた。しかし最近の下級審判例には、再びこれを肯定するものがある。学説も二つに分れて大きく対立している(否定説末川・林、肯定説我妻・末弘・石田・柚木)。否定説の根拠とするところは、(α)前主が占有をなお継続する場合には真の権利者の前主に対する信頼は未だ裏切られていないということ、(β)取得者の前主に対する信頼は占有改定では充分に実現されないこと、(γ)無権利者より占有改定による二重譲渡がなされた時は、後の取得者を保護する必要がないことなどがあげられている。肯定否定いずれの説に加担すべきやにわかに決しがたいが、制度の沿革としては否定説の正しいことを認めつつ、今日における即時取得の意義——取引の安全——の見地から肯定説に左祖すべきでもあろうか。

(イ)　否定説をとる判例　その理由とするところは区々であるが、(a)占有改定によつては占有の外観に変化が存しないことを理由とするもの、たとえば、

【43】「同条ノ立法ノ趣旨ハ畢竟一般動産取引ノ安全ヲ維持センカ為メニ従前占有ヲ他人ニ一委シ置キタル権利者ヨリモ寧ロ其他人ヨリ正当ニ占有ヲ得テ権利ヲ取得シタリト信スルモノヲ保護セント欲シタルモノニ外ナラサレハ其主旨ヲ貫徹センカ為メニ一般外観上従来ノ占有事実ノ状態ニ変更ヲ生シ一般取引ヲ害スルノ虞ナクシテ従前ノ権利者ノ追及権ヲ顧ミサルヲ相当トスル場合ニ於テハ固ヨリ現在占有ヲ始メタル者ヲ保護スルノ必要アリ然レトモ斯ル状況存セサル場合ニ於テモ尚ホ他人ノ利害関係人殊ニ従前占有ヲ他人ニ委ネタル権利者等ノ利害ヲ全然顧慮セサルカ如キ法意ニ非サルコトハ同条規定ノ因テ生シタル法制ノ沿革ニ徴シテ疑ヲ容レス」（大判大五・五・一六民録二二・九六一）。

なお同旨の判決が多数ある（大判昭七・一二・二二新聞三五一七・一三、大判昭一二・一・二六新聞四一〇九・六、長崎控判大一四・六・一〇新体系民3・一二八ノ二、大判昭八・二・一三新聞三五二〇・一一、東京控判昭一二・一〇・九新聞四二一五・九前出〔33〕、大判昭九・九・一五新聞三七五〇・八、大判昭一〇・五・二〇全集一八・六、大判昭一三・四・一九全集五・九・五、大判昭一六・六・二七新聞四七一四・一六）。

(b) 占有改定によつては前主の間接占有は消滅しないことを理由とするもの。

たとえば、Xのため所有物件の代理占有をなすYが、該物件をAに譲渡したが、Aは占有改定によりYに物件を引続き占有せしめた。その後AよりBへ・さらにBよりY′へと物件は譲渡されたが、その引渡はいずれも指図による占有移転の方法でなされた（この点については、後述(3)参照）。XよりY及びY′を相手に物件の引渡を請求する事案につき、

【44】「右A以下ノ買得若ハ競落ニ付テハ同人等ニ於テYヨリ所持ノ移転ヲ受クルコト無ク孰モ賃貸名義ノ下ニ依然トシテYニ其ノ所持ヲ継続セシメ居リタルコトヲ窺ヒ得ヘケレハ原判決ハ此趣旨ヲ以テ右認定ヲ為シタルモノト解シ得ヘク従テ本訴物件ニ付テハ一般ノ外観上従来ノ占有状態ニハ何等ノ変更ナク同Yハ一面ニ於テハXノ代理占有者トシテ本訴物件全部ヲ又他面」その一部たる判示「（一）（二）（三）物件ニ付テハY′ノ代

理占有者トシテ其ノ占有ヲ続ケ居リシモノニシテ同Y′ハYノ代理占有ニ依リ同物件ノ占有権ヲ有シタルニ過キサルコト明ナリ而シテ斯ル占有状態ニ在リテハY′ハ其ノ買受物件ニ付民法第百九十二条ニ所謂占有ヲ始メタルモノト云フコトヲ得サルニ反シXハ其ノ有スル所有権ヲ以テ同Y′ニ対抗シ得ヘキニヨリ原判決カ同Y′ノ右法条ニ依ル権利取得ヲ否定シXヲ以テ本訴物件ノ所有者ナリト倣シタルハ結局相当タルヲ失ハス」（大判昭一二・九・一六新聞四一八一・一四）。

同旨のものとして

【45】「代理人ニ依リテ占有ヲ為ス場合ニ於テハ民法第二百四条列記ノ事由ナキ限リ其ノ占有権ハ消滅ニ帰スヘキモノニアラサルカ故ニ被上告人カ係争物件ノ所有権ヲ取得スルト同時ニ甲ニ之ヲ賃貸シタルニヨリ同人ニ於テ爾来被上告人ノ代理占有者トナリ該物件ノ使用占有ヲ継続セル関係ニ在リテ其ノ間一度モ被上告人以外ノ者ノ為ニ占有ヲ為スヘキ旨ノ意思表示ヲ為シタル事実ナキハ勿論前記法条ニ列記セラレタル其他ノ事由アリト認ムヘカラサルコト原判決説明ノ如クナル以上縦令甲カ被上告人トノ間ニ前述貸借関係ノ成立シタル後係争物件ヲ乙ニ売却シ其後丙及丁カ順次該物件ヲ買受ケタル事実アリトスルモ被上告人ノ占有権ニハ何等ノ影響ナク右乙以下ノ買受人カ該物件ノ占有ヲ取得シタルモノト謂フヲ得サルカ故ニ之ニ対シテ民法第百九十二条ノ適用ヲ見ルヘキニアラサルコトハ多言ヲ要セサル所ナリトス」（大判昭九・一一・二〇民集一三・二三〇二）。

（ロ）　肯定説　旧時の判例で肯定説をとるものとしては、

【46】「占有ノ改定ニ因リ占有ヲ取得シタル者ト雖民法第百九十二条所定ノ要件ノ具備スル限リ同条ノ適用ヲ受ケ得ヘキモノ」（大判昭五・五・二〇新聞三一五三・一四）である。

とするものがある。近時の下級審の判例にも肯定説をとるものがある。すなわち、

【47】「けれども民法の即時取得に干する規定は、相手方の占有を信用して取引したものを保護する趣旨の

規定であつて、民法第百九十二条の文字の上からいつても、特に除外例を設けてないから、占有改定による占有権の移転の場合にもその適用があると解釈すべきである。又その占有の移転が仮りに横領罪を構成する場合でも解釈を異にするものではない」(仙台地判昭二五・八・一八下級民集一・八・一三一八)。

(2) 簡易の引渡については、学説判例ともこれに触れるものは少いが、判例は否定的である。すなわち、

【48】「民法第百九十二条ハ無権利者ヨリ動産ヲ取得シ其ノ占有ヲ始メタル者即自己ノ為ニスル意思ヲ以テ之ヲ所持スルニ至リタル者カ其ノ占有ノ始メ善意ニシテ且過失ナカリシトキハ即時ニ其ノ動産上ニ行使スル権利ヲ取得スヘキ旨ヲ規定シタルモノナルカ故ニ己カ乙ノ為戊ヨリ金員ヲ受取リ占有ノ後ニ至リ相殺ヲ主張シ爾後自己ノ為ニスル意思ヲ以テ該金円ヲ占有スルモ該法条ノ適用ナク己ハ該金円上ニ所有権ヲ取得シ得サルモノトス」(東京控判昭元・一二・二八新体系民3一二八ノ九)。

これに反して学説は、占有改定につき肯定説をとるものはもちろん、占有改定につき否定説をとるもののうちにも、簡易引渡の場合は「所持こそ動かぬが、真正の権利者の信頼は形の上でも裏切られて第三者が占有権を取得するのであるから、第一九二条は適用されてよいとするものがある(末川・物権法二三五頁)。

(3) 指図による占有移転についても、学説判例はこれにふれることが少く、学説は、簡易の引渡についてと同様の理由から肯定するものが多い。判例は分れている。否定説としては、前出【44】の事案では、YよりAへの占有改定による引渡によるAの即時取得を認めないのみならず、AよりB、BよりY'への指図による占有移転(直接占有者はY)も、占有の外形に変化を生ぜしめないから、B乃至Y'のために即時取得を生ぜしめないとする。しかし、最近の下級審判例は、傍論であるが指図によ

る占有移転による即時取得の生ずべきことを認めている。すなわち、前出【26】と同事案につき、Aから譲渡担保として取得した（該取得が無効であること【26】参照）物件を占有改定により引続きAに占有せしめているBが、Xに対する債務の代物弁済として、該物件をXに譲渡した際、もしBより現実の占有者Aへ爾今Xのために占有すべき旨の指図がなされていれば、すなわちBX間に指図による占有移転が存すればXは該物件を即時取得するとしている（ただしこの事案では指図による占有移転はなかつたと認定されているのだが）。

三　即時取得の効果

即時取得の結果、「即時ニ其動産ノ上ニ行使スル権利」が取得される。

一　取得される権利

「其動産ノ上ニ行使スル権利」とは、もし前主が真の権利者であつたならば承継取得したであろうような権利であり、それがいかなる権利であるかは、占有取得の原因たる行為の内容によつて定まる。この場合取得される権利は物権であり、原則として所有権と質権、例外的に先取特権である。

（一）　所有権が取得されるのがもつとも普通であり、その例をあげる必要はあるまい。質権については、たとえば第二章一（二）(3)【13】事件参照。なお、この場合には、真の所有者は物上保証人たる質権設定者たるの立場に立つ。【38】の事案につき、

【49】　「すなわちXの占有の取得は無過失であつて、その善意、平穏、公然になされたことは推定せられる

どころであるから、Xは右ラジュウムの上に有効に質権を取得したものというべきであり、その結果Yは所有者としてその所有物の上に質権の負担を受け、質権設定者（物上保証人）と同一の立場に立つものというべきである」（東京高判昭二八・九・二一民集六・一〇・六三三）。との判例がある。

（二）　民法三一九条は即時取得に関する諸規定が動産先取特権に準用される旨規定している。すなわち、たとえば家屋の賃貸人がその家庭に備えつけられた物につき、それが賃借人の所有でないのにそうだと誤信し、かつ誤信することについて過失がなかつたときは、賃貸人はその物の上に先取特権を取得する。これらの動産先取特権は法定質権の性質を持つものであり、これに即時取得の規定を適用することによつて、善意の債権者を保護せんとするのである。けだし、これらは、当事者間にそれぞれの目的物につきこれを担保するという意思が推測される場合であり、そこに先取特権の存在を前提とする取引関係がなされるからである（我妻・有泉コンメンタール民法Ｉ四三八頁）。しかしこの種の動産先取特権は（運送人が運送品の上に持つ先取特権の場合を度外視すれば）、質権や譲渡担保の場合と異なり、担保権者は担保物の上に間接占有すら有しないのであり、その点で特殊な問題が生ずる。

(1)　たとえば、賃借人が彼に属しない物を賃借家屋に備え附けた場合、その後に生じた賃貸人に対する債務の担保として、この物が先取特権の目的となることは疑がないが、かかる物はその備附以前にすでに生じた債権の担保として、これに先取特権が及ぶであろうか。判例には直接にこの問題を取扱つたものが見当らないが、(2)に述べる問題の前提として、【50】はこれを否定的に解するごとくであり、学説もまた否定に傾くようである（我妻・担保物権法五四頁）。けだしこの種の動産先取特権の基礎を債権成立の際の当事者の意思の推測にありと考えれば正当であろう。

(2)　つぎに、賃借人自身に属し賃借家屋に備え附けられて、賃貸人に対する債務の担保として先取特権の目的となつている物が第三者に引渡された——この引渡は占有改定によるものでも足りるとされる——後は、この先取特権は消滅するものとされるが（民三三三）、かかる物が第三者に譲渡され、占有改定によつて引渡され賃借人が引続きこれを占有する場合については

【50】「即チ原裁判所ハ仮令不動産賃借人ノ居宅ニ備付ケアル動産ト雖モ一旦之ヲ第三者ニ譲渡シ占有ノ改定ニヨリ之ヲ引渡シタル以上ハ民法第三百十九条ノ規定ニ依リ更ニ先取特権ヲ取得シタルコトヲ主張且立証スルニアラサレハ該動産ニ対シ先取特権ノ効力ヲ及ホスコトヲ得サル旨ヲ判示シタルモノナレハ原判決ニハ所論ノ如キ不法アルモノニアラス」（大判大六・七・二六民録二三・一二〇三）。

とし、また、他の判例は、

【51】「凡ソ先取特権ハ債務者所有物件ヲ目的トスルヲ本則トスレトモ債権者ニシテ過失ナク第三者所有ノ動産ヲ債務者ノ所有物ト信シ平穏且公然ニ之カ行使ニ着手シタルカ如キ場合ニ於テハ第三者ノ所有権ニ付テモ猶之ヲ取得シ得ヘキコト民法第三百十九条ノ準用ニ依ル同法第百九十二条ニ照シ疑ナキトコロニシテ右各法条ハ同法第三百三十三条ノ一般規定ニ優先シテ適用セラルヘキ特則ナリト解スルヲ妥当トスルヲ以テ建物賃借人カ賃借建物ニ備付ケタル賃借人所有ノ動産ヲ第三取得者ニ引渡シタル場合ニ於テモ苟シクモ賃貸人ニ於テ過失ナク第三者所有ノ動産ヲ債務者ノ所有物ト信シ平穏且公然ニ之カ行使ヲ始メタル以上同法第三百十一条第一号第三百十二条第三百十三条第二項第三百十九条第百九十二条ニ則リ賃料債権ニ付第三者所有ノ動産上ニ先取特

権ヲ有スルモノト解スルヲ相当トス而シテ先取特権ノ行使方法ハ一般ニ競売法ニ依ルヲ原則トスレトモ又被担保債権実現ヲ目的トスル判決其他ノ債務名義ニ基ク強制執行ノ方法ニ依ルモ猶之ヲ違法視スルヲ得サルコト等シク公力ニ依リ権利ノ実行ナル点ニ鑑ミ彼ト此トヲ区別セサルヘカラサル理拠毫末モ存セサル点ヨリ観テ一点疑義ノ存セサル所ナルヲ以テ先取特権ヲ以テ担保セラルル債権ノ強制執行保全ノ為仮差押仮処分ヲ為シタルカ如キ場合ニ於テモ猶先取特権ノ行使ニ着手シタリト做スニ妨アルコトナシ然ルニ原審カ建物賃貸人タル上告人カ同法第三百十九条第百九十二条ニ依リ賃料債権ニ付第三者タル被上告人所有動産上ニ先取特権ヲ取得シタル事実ヲ確定シ乍ラ之カ行使トシテ仮差押ヲ為シタル旨ノ上告人ノ主張ヲ先取特権自体ノ保全処分ヲ為シタル旨ノ主張ナルカ如ク曲解シ且同法第三百三十三条ノ規定カ逆ニ同法第三百十九条ノ例外規定ナルカ如キ見解ノ下ニ賃借人カ之ニ賃借建物備付動産ヲ第三取得者ニ引渡シタル以上該動産ニ対シ先取権行使トシテノ仮差押ヲ為スヲ得サルカ如ク判示シタルハ法則ノ適用ヲ誤リタル違法アリ」（関東高判昭一四・六・一四新聞四四三六・五）。

いずれもかかる物の上の先取特権の即時取得が生ずべきことを認めている。ただし、即時取得さるべき先取特権は第三者への占有改定による引渡前に生じた債権をも担保するものなりやについては、【50】はこの占有改定がなされた以上「更ニ先取特権ヲ取得シタコトヲ主張且立証スル」ことが必要であるとしているのであるから、これを否定する（同旨我妻・有泉コンメンタール民法Ⅰ四五〇頁）。【51】は民法第三一九条は民法第三三三条に優先して適用あるものとするのであるから、かかる場合には第三者への占有改定による引渡があつても従来の先取特権は存続し、したがつて、この占有改定以前にすでに生じた債権もこの先取特権によつて担保されることになると考えているらしい。理論的には、前説が徹底しているが、この考え方によると占有改定を受けた第三者が悪意の場合でも従来の先取特権は一旦消滅するのであるから、それでは先取特権者の保護に欠けるところがある。私はむしろ一般に民法三三三条の第三者への引渡は現実の引渡なることを要し、占有改定による引渡あるにすぎぬときは、先取特権は依然存続することとし、ただ第三者が善意にして即時取得の要件を具えるときは、先取特権の負担なき所有権を取得する（後述（四））と解したい。そして、かかる場合には始めて、それ以降に賃借人が賃貸人に対して新たに負う債務についてのみ賃借人による先取特権の即時取得が問題となると解すべきではなかろうか。

（三）　動産賃借権のごときは即時取得の対象とならない。たとえば、

Aが X から映画興業用品を買受け、代金完済まではその所有権をXに留保する旨を約した。しかるにAはこれをYに賃貸したという事案につき、

【52】　「動産ノ賃貸借契約ニ基ク賃借人ノ権利ハ民法第百九十二条ニ『其動産ノ上ニ行使スル権利』ト云フニ当ラスト解スルヲ相当トス」（大判昭一三・一・二八民集一七・一・一）（賛成四宮判民昭一三・一事件、同末川民商七・六・一一五三）。

動産賃借権の物権化が進み、これが一の客観的財産として取引されるに至ればその即時取得ということも考えねばならぬが、今日では未だその必要なく判旨は正当であろう。

（四）　所有権が即時取得されるときは、その上に存した他物権は消滅し、取得される所有権は完全なものとなる。ただし、即時取得者がかかる他物権の存在について悪意であつた場合には、かかる他物権は存続する、すなわち即時取得者は制限つきの所有権を取得するものと解すべきであろう（ドイツ民法九三六条二項参照）。

前主が真の所有者ではあるが、その上に抵当権が及び乃至は差押えがなされている場合に、これを

善意で譲受けたものは、抵当権その他の制限なき完全な所有権を取得する。この場合の取得を承継取得というべきか、原始取得というべきか問題だが、これを争う実益がないであろう。

二　即時取得と債権関係

即時取得が行われたときは、取得者と前主との間の債権関係については、前主が真の権利者である場合と全く同一の効果を生ずる。

（一）　前主が債務の弁済（乃至代物弁済）として、他人の物を給付し、これによつて債権者がその物を即時取得したときは、弁済（乃至代物弁済）は有効である。たとえば、

Bが偽造文書によりA所有の不動産上に抵当権を設定してXより金員を借受け、これを自己のYに対する債務の弁済にあて、Yはこれを善意無過失で受領した。XよりYに対し該金員の返還を請求した事案につき、

【53】「原審認定ノ如クYカ民法第百九十二条ノ規定ニ依リ直ニ右弁済金ノ所有権ヲ取得シタルモノナル以上同法第四百七十七条ノ趣旨ニ鑑ミ其ノ弁済ハ有効ニシテYノ債権ハ之ニ因リ消滅シ同人ハ毫モ不当ニ利得シタルモノニ非スト解スルヲ正当トスルカ故ニ之ト反対ノ見地ニ立チテ原判決ヲ非難スル本論旨ハ何レモ理由ナク所論ノ判例ハ本件ニ適切ナラス。」（大判昭一三・一一・一二民集一七・二二〇五）。

としている（賛成、野田判民昭一三・一三四事件）。その他にも同旨の判例が多い（大判大元・一〇・二民録一八・七七二、大判大一三・七・一八新体系民法2一二八ノ三二、大判明三二・六・一五刑録六・一一五、大判大九・一一・二四民録一八六二）。しかし、この【53】の事案については、(1)　金銭にはそもそも即時取得の問題が起らぬのではないか（後述第五章二（二））、かりにこの点を度外視しても、(2)　XはBの詐欺によつて、消費貸借契約を

結びそのためにBに金員を交付したのであり、該消費貸借契約の取消を以て第三者に対抗しえないから(民九六Ⅲ)、BがYに交付した金員が自己の所有物であることをYに対して主張できないので、Yの即時取得を問題にする必要はないと思われる。なお、本事案につきYの該金銭の取得は不当利得ではないという点については後述(三)参照。

(二)　消費貸借の締結に際し、貸主が他人の所有物を消費貸借の目的物として交付し、借主がこれを即時取得したときは、消費貸借は有効に成立する。【18】参照。

(三)　もし、たとえ前主が真の権利者であつても前主と取得者との間で不当利得の関係が生ずるであろうような事情がある場合には、取得者が一旦物件を即時取得するにかかわらず、これを返還しなければならないであろうか。たとえば、

YがAより消費貸借の目的物として実はXに属する白米を受領し、これをYがAの所有と誤信して即時取得したが、Aが無能力者たりしため該消費貸借契約が取消された場合、Yは不当利得による返還をせねばならぬであろうか。次の判例は金銭に関するもので、本来即時取得の問題たりえぬことは繰返して述べたところであるが、その理論を前述の仮設例の白米に置きかえて考えればよい。すなわち、

【54】　「若シ夫レ『Yハ民法第百九十二条ニ依リ本件金員ノ所有権ヲ取得シタルモノナリト謂フヘク従ヒテ之ニ因ルYノ利得ハ法律上ノ原因ニ基クモノナリ』トアル原判示ハ是亦聊カ了解ニ苦マサルヲ得ス蓋金円ノ所有権ハ混和ニ因リテモ之ヲ取得ス即時時効ト限ルヘカラス而モ当該金円ノ所有権カ取得セラレタレハコソ玆ニ

始メテ不当利得ノ存否ヲ講究スルノ可能性ハ生スルナレ即時時効ニ因ル所有権ノ取得ヲ援テ以テ直チニ不当利得ヲ排斥セムトスルハ無権原占有者ニ対スル物権的請求権ト債権的請求権ニ外ナラサル不当利得ノ返還トヲ弁セサルニ庶幾シ」(大判昭一二・一・一七民集一五・二・一〇一)。

学説中にも、この考え方に同調するものが少くない(末川・物権法二三九頁、林・物権法一〇四頁)が、「即時取得の規定によつて権利を取得した者は、原権利者に対して、不当利得返還の義務を負わない。蓋し、制度の趣旨は、取引の安全を保護して、善意取得者に利得を保有させようとするのであつて、単に所有権又は質権の帰属だけを決定しようとするのではないからである。原権利者の損失は、譲渡人その他の者との間の法律関係によつて決済されるべきである(我妻・物権法一三九頁(二一二))とする説も有力である。

しかし、前述の仮設例において、たとえ白米が真にAに属する場合にすらYはこれを返還せねばならぬのに、たまたまAが真の所有者でなかつたために、返還を免れるというのはどうも不当で、前説を支持すべきであろう。この場合Yはその不当利得を誰に返還すべきかが問題であり、原所有者に返還すべしとする説(末川・物権法二三九頁)があるが、Yの利得の不当なるゆえんは消費貸借が無効なるゆえであり(白米がAに属せずXのものであつたゆえではない)から、Yは直接には、Aに対して返還義務を負うとすべきではなかろうか。

なお、以上でYに不当利得ありとするのは、あくまでもYA間の消費貸借が取消されたからであつて、白米がAでなくXのものであつたからではない。したがつて、前述【53】の事案についても、即時取得者に不当利得ありとする説(谷口同件評釈民商九・八五七)は誤解であろう。もし目的物が弁済者に属せざるゆえに、弁済受領者は、その即時取得にもかかわらず常に不当利得ありとされるとすれば、即時取得の制度は実質的に無意味となるであろう。けだし即時取得を成立さすべき引渡は常になんらかの債権関係より生ずる債務の履行（＝弁済）として行われるからである（同旨末川・物権法二三九頁、野田〔53〕事件の評釈判民昭一三・一三四事件、なお伊沢判民昭二・三〇事件の評釈一四五頁参照）。AがYを詐欺して金を借り、それを弁済するために又Xを詐欺して金を借りてYに弁済したという事案につき、判例はある場合にはYに不当利得ありとし（大判昭一〇・三・一二民集一四・四六七）、また他の判例は不当利得なしとする（大判昭二・四・二一民集六・四・一六六）が、その差異は、結局給付行為の原因となつている債権関係の無効有効と結びついているのであつて、上述の理論を変更するものではない。

（四）　即時取得は、無償行為によつて無権利者から動産を譲受けた場合にも生じ、しかも取得者は真の権利者にその利得を返還する必要はない。立法論としては、かかる場合に利得返還を認める方が妥当かもしれない。

四　盗品および遺失品に関する即時取得の例外

通常なれば即時取得が成立し、真の権利者はその反射として権利を失うがごとき事情にある場合にも、目的物が盗品または遺失品であるときは、原権利者の追及力は一定期間内は消滅しない。即時取得は、沿革的には、所有者が他人を信頼して占有を与えた場合に、その他人がこの信頼を裏切つて善意の第三者に引渡したときは、所有者の追及権は第三者に及びえないとする制度として発達して来たものである。従つて所有者の意思に基かないでその占有から離脱した動産に対しては、どこまでも所有者の追及権が及んだのである。しかし盗品遺失品に関する例外は、現代においては余り適当でない。けだし、盗品遺失品についても、取引の安全の要求は同様に存するのであり、またこれらに限つて、真の権利者を特に保護しなければならない理由はないからである。したがつて本条の規定はなるべくその適用範囲を狭く解することが妥当であろう。つぎの判例は――具体的には委託物費消につき本条の適用なしとするものである（後出【58】参照）――以上の趣旨を詳細に説いている。

【55】「民法第百九十三条ハ其前条ノ規定ニ対スル制限的例外規定ナルヲ以テ其適用ヲ厳ニシ類推シテ規定外ニ及スヘキモノニ非ス蓋シ善意ニシテ過失ナク平隠且公然ニ動産ヲ占有シタル者ハ即時ニ其所有権ヲ取得スヘシト云フ民法第百九十二条ノ規定ハ動産ノ移転頻繁ナルニ因リ其移転毎ニ何人カ真所有者ナルヤヲ調査シ之ヲ知悉スルコト能ハサルヲ通例トスルカ故ニ右ノ条件ヲ具備スル占有者ハ皆正当ニ権利ヲ得タリト信スルコト寧ロ当然ナルニ因ル換言スレハ此ノ如ク規定スルニ非レハ動産ノ移転渋滞シ殆ント其ノ取引ノ安寧ヲ維持セシムルコト能ハサルニ由ルナリ然レトモ此規定ニ依レハ動産占有者ヲ保護スルト同時ニ真ノ権利者ノ権利ヲ失ハシムル結果ヲ生セサルヲ得サルヲ以テ同法第百九十三条ニ於テハ其権利ヲ保護スル為メ物カ権利者ノ意思ナク他ニ移転シタルトキ即チ盗品又ハ遺失物ナルトキニ限リ一定期間内ニ取戻ヲ請求スルコトヲ得セシメタリ」（大判明三四・七・四民録七・七・一七）。

一 盗品および遺失品の概念

所有者の意思によらずして、その占有を離脱したものであると通常説かれている。盗品と遺失品とを区別する実益はここではない。いかなる場合に所有者の意思によらずして動産がその占有を離脱したものとされるかを検討すると（以下の図式で ↓は占有者の意思にもとづく占有の移転を、…↓は占有者の意思にもとづかず、他人の占有に移る場合を示す。）、

(一)　A…↓B↓Cの型の場合がもっとも典型的である。すなわちAの所有動産をBが盗取し又は遺失物として取得し、これをCに譲渡した場合である。

(1)　ただし、Bの領得が、該動産が他人の物なることを知らずになされた場合（これによってB自身のために即時取得が生じないことはもちろん〔前出第一章三〕である）にも、ACの関係につき民法一九三条の適用ありや否やは問題である。けだしBはAの物を盗んだのでもまた遺失物として拾得したのでもないので、該動産は厳密な意味での盗品乃至遺失品中に含まれえないからである。かく解することは、自己の意思に基かずに占有を失つた者を保護するという一九三条の沿革には合しないが、同条の適用をなるべく狭く解釈せんとする理想には合致するものといえる。

類似の問題として、

X所有の山林をAが自己のものなりと称して、その上の立木をYに譲渡し、Yはこれを伐採して製材し更にY′に譲渡した事案につき、判例はY′は即時取得の要件を具備することを認めると共に

【56】　「民法第百九十三条ハ其前条ノ即時取得ノ原則ニ対スル例外ニ属スルヲ以テ明文以外ニ之ヲ拡充スルヲ得ス而シテ右第百九十三条ニハ『占有物カ盗品ナルトキハ被害者ハ盗難ノ時ヨリ云々』トアリテ其適用ハ盗取セラレタル場合ニ限定セラルヘカラス冒認販売セラレタル物件ノ所有者ニ於テ実質上形式上権利移転ノ意思及行為ナキコトハ盗難ニ罹リタル所有者ト異ナルコトナシト雖モ法律上冒認販売ハ詐欺取財ノ一種ニシテ盗ト其性質名称ヲ異ニスルモノナレハ本条ノ所謂盗品ニ冒認販売セラレタル物件ヲ包含スルモノト解釈スルヲ得ス今原判決ノ認定ニ依レハ係争ノ物件タル欅丸太五本及欅板子六十一枚ハAカX所有林ニ生立スル欅ヲ自己ノ所有ナリト冒認シテ之ヲYニ販売シ製材ノ後Y′カ善意ニ且過失ナクYヨリ買得シタルモノナレハ盗品ナリト謂フ

ヲ得スシテ民法第百九十三条ヲ適用スヘキ限ニアラス」（大判明三七・五・五刑録一〇・一三・九四八）。としているのも、いわゆる盗品なる概念をきわめて狭く解しているわけである。しかし（この判例は旧刑法の下でのもので）、現在の刑法の考え方では、AのXに対する行為はやはり窃盗であり、AはYに対する関係においてのみ詐欺をなしているというべきであろうから、該木材はXにとってはやはり窃取された物として自己の占有を離れたものとして、民法一九三条の適用ありということになろう。

(2)　AからBが詐欺しBがこれをCに譲渡した場合は、Aには欺罔の結果とはいえ、Bに占有を移転する意思が存したのであるから、民法一九三条の適用はないと解すべきである（明四二・六・二六法曹決議、法曹要録上一）。（もつともこれは欺罔によつてAがBに占有のみを移した場合であつて欺罔の結果、たとえばAがBに売却した場合は詐欺による意思表示の取消は第三者Cに対抗できないから、そもそも民法一九二条以下の問題は起つて来ない。）

（二）　A→A′…→B→Cの型の場合も民法一九三条の適用がある。すなわち所有者AがA′に賃貸・寄託等により引渡し、A′がその意に反して占有を失つた場合である。これは当然のことであり、ただかかる場合の回復請求権を行使するものは誰かという点で次の二（一）(1)の問題が起るのである。この型の場合のA′とBとの関係については（一）の(1)および(2)に述べたことが当然に妥当する。ただし最近の下級審判例には、《本人が旅館の番頭に預けたものを、他人が命を承けたと偽つて番頭から騙取した場合には、結局本人はその意思に基かずしてその物の占有を失つたものであり民法上の効果においては盗難に準ずる》とする趣旨に見られる（新体系民3・一二八ノ三八の見出し参照）判例（東京地判昭二四・一〇・八新体系商法2・一九一一）があるが、その事案は小切手に関するものであり、小切手にはそもそも民法一九三条の規定の適用はないのであつて、判例が「民法上の効果においては盗難に準ずる」というのは、一面においては騙取者の行為が刑法上詐欺罪に該当するものなることに対峙せしめるとともに、他面においては該小切手の占有は一応本人↓旅館の番頭↓騙取者とそれぞれの意思を媒介として移つては行つてもそれは小切手が小切手として有効に騙取者に交付されたのではなく、したがつて騙取者より該小切手の裏書交付を受けたものは、小切手法第二十一条の適用あるときにのみ小切手上の権利を取得しうる旨を宣言したのであつて、民法一九三条の問題とは何ら関係ないのである。

（二）　A↓B↓Cの型の場合、すなわちAからその意思にもとづいて占有を取得したBが、自己の意思にもとづいてCにこれを譲渡したときは、たとえB↓Cの譲渡がAの意思に反するものであつても、AからCに民法一九三条に基づく返還請求はなしえない。このことはとくに委託物横領の場合に問題となる。

【57】「民法第百九十三条ニ所謂盗品ナル語ハ狭義ニ用ヰラレ強窃盗ノ贓物ノミヲ指シ委託物費消ノ犯罪ニ関スル物件ノ如キハ其中ニ包含セサルコトハ立法ノ沿革並ニ民法第百九十二条ノ動産ノ即時取得ヲ認メタル立法上ノ理由ニ徴シテ明確ナリ蓋シ同条ノ規定ニ依レハ平穏公然ニ動産ノ占有ヲ為シタル者カ占有ノ始メ善意無過失ナルトキハ即時ニ其上ニ行使スル権利ヲ取得スヘキモノナルモ占有ノ目的物カ盗品遺失物ノ如ク所有者ノ意思ナクシテ其占有ヲ脱シタル場合ニ善意無過失ノ第三者ヲシテ即時ニ其上ニ権利ヲ取得セシムルニ於テハ所有主ニ対シテ極メテ苛酷ナル結果ヲ生スル為メニシテ第百九十三条カ多数ノ立法例ト共ニ所有者ノ為メニ回復ノ請求権ヲ認ムルハ実ニ所有者カ其意思ナクシテ占有ヲ失ヒタリト云フノ点ニ存スルモノナリ然レハ委託物費

消ノ場合ニ於テハ委託者ハ他人ヲ信シテ其物ノ保管ヲ為サシメタルモノニシテ承諾上其物ノ占有ヲ受寄者ニ移シタル以上ハ之ヲ信シタルカ為メニ生シタル結果ハ自ラ之ヲ甘受スルコトヲ要シ善意無過失ノ第三者ヲシテ之ヲ負担セシムルコトヲ得サルノミナラス民法第百九十二条ノ即時取得ノ規定ハ就中委託物費消ノ如キ場合ニ於テ其実用アルモノナレハ民法第百九十三条ノ盗品ヲ拡張シテ他人ノ財産ヲ横領スル犯罪ニ関スル一切ノ物件ヲ其中ニ包含セシムルハ不可ナリトス」（大判明四一・一〇・八刑録一四・八二七）。

としている。

委託物横領の場合につき、民法一九三条の適用なしとする判例としては、さらに、官制に依り国務を扱うX県庁の官吏として職務上公債証書を保管するものが、これを善意のYに譲渡し、X県知事よりYに対し該証書の返還を請求した事案につき、

【58】「本訴ニ於テXカYヨリ回収セントスル無記名債権証書ハ官制ニ依リ職務上保管ノ責任ヲ有スル官吏カ其職務ニ違背シ之ヲ移転シタル場合ニシテYカ其権利ヲ取得シタルハ畢竟Xニ於テ不正ナル官吏ヲ信用シ之ニ証書ヲ保管セシメタル過失ニ因ル故ニXハ民法第百九十三条ヲ援用シ其取戻ヲ請求スルコトヲ得ス何トナレハ本条ハ何等ノ意思ナクシテ動産ヲ失ヒタル者ヲシテ其占有者ニ対シ取戻ヲ為スコトヲ得セシムルモノニシテ本訴Xノ主張ヲ容ルヽニ適セサレハナリX代理人ハ民法第百九十三条ニ所謂盗トハ刑法ニ謂フモノト同一ニシテAハ監守盗罪ヲ犯シYニ係争証券ヲ移転シタル者ナルヲ以テ之ニ依ルXノ請求ハ当然ナリト云フモ元来監守盗ナルモノハ其性質委託物費消罪ヲ成スモノニシテ原院ノ解釈スル如ク右条文ノ盗ナル意義ニハ刑法ニ於テ盗ナリト称スルモノヲ包含セサルコトハ之ヲ設ケタル前掲ノ理由ニ徴シ明カナリ」（大判明三四・七・四民録七・七・一七、〔55〕と同事件）。

また、X会社所有の白紙委任状附株券を保管していた取締役Aが、これを善意の第三者Yに質入した場合、判例はこれを委託物費消罪なりとし、かつXよりYへの該株券返還請求の附帯私訴にお

いて、

【59】「取締役ハ株式会社カ営業上保有スル財産ニ付キ当然保管ノ職責ヲ有スルモノナルヲ以テ自己ノ為メ不正ニ其ノ財物ヲ費消スルニ於テハ刑法上委託物費消罪ヲ構成ス何トナレハ委託物費消罪ハ別段ノ規定アル場合ノ外物件保管ノ責任ヲ有スル者カ不正ニ其処分ヲ為スニ因リテ成立スヘキモノナレハナリ而シテ民法第百九十三条ハ盗品若クハ遺失物ニ於ケル如ク意思ニ反シテ物ノ占有ノ喪失アリタル場合ニノミ適用スヘキ規定ナルコトハ其明文上明白ニシテ本件ノ如ク取締役カ其職務上保管セル株券ヲ不正ニ処分シタル場合ニハ適用スルヲ得ス」（大判明三八・三・一三刑録一一・五・三一六）。

としてXの請求を斥けている。

なお、いわゆる占有機関乃至占有被用者は、なんら占有を有せずかえつて他人がかれらを通じて占有を有するものと解せられ、刑法上もかかる場合に、占有機関乃至占有被用者がこれを自己のための占有に転ぜしめるときは、窃盗罪が成立するものとし、たとえば店舗内の商品について「雇人カ雇主ノ居宅ニ於テ雇主ノ物品ヲ販売スル場合ニ於テハ其ノ物品ハ雇主ノ占有ニ属スルモノニシテ雇人ノ占有ニ属スルモノニアラス従テ雇人カ雇主ノ右占有ヲ侵ス場合ニハ窃盗罪ノ成立ヲ認ムヘキモノニシテ横領罪ヲ以テ論スヘキモノニアラス」（大判大七・二・六刑録二四・三二、同事項同趣旨、大判大三・三・六新聞九二九・二八）なる判例がある（以上は、中義勝「刑法における占有の概念」綜合判例研究刑法(4)二一五頁以下による）。この考え方をここでの問題に移すと、店員が店舗から物を持出して、これを第三者に譲渡したときは、物件は盗品であり、これには民法一九三条の適用があることになる。しかし民法一九二条・一九三条はその沿革から言つても、他人に信頼を置いたものはその他人が信頼を裏切つたときは、第三者にまで追及力を及ぼしえないという趣旨なのであり、また現代的意義においては一九三条は極力その適用の範囲を縮減すべきであるから、いやしくも自己の意思にもとづいて他人に所持を与えたときは、その他人から第三者へ占有が移転されても自己の意思に基かないで占有を離脱したとは言えぬと解すべきであろう。また後述の【67】の判例は、Xの山林保管者Aが立木を伐つて他人に引渡した場合についても、一九三条の適用あることを前提としているが上述の考え方からすればやはり同条の適用を否認すべきであろう。

二　回復請求権

民法一九二条により即時取得の生ずべき場合にも、目的物が盗品又は遺失物であるときは、原権利者に回復請求権が認められる。

（一）　回復請求権の当事者

(1)　回復請求権者　回復請求権者は盗難の被害者又は遺失主である。

（イ）　被害者乃至遺失主は、所有者であるのが普通だが、しかし寄託物や賃借物が盗難または遺失したときは、受寄者・賃借人も回復請求をなしうる。すなわち前述一の（二）に述べたA→A'……→B→Cの場合にはA'もまたCに対して回復請求をなしうるのである。判例は当初この理を認めなかつた。

Xが Aに対する債権の担保として公債証書を保管していたが後それが盗難にあい、Yがこの盗難公債証書を善意で譲受けた。XよりYに対し引渡を要求した事案につき、判例はXの請求を却けて、

【60】「民法第百九十三条ノ回復請求権ハ占有物上ニ所有権其他ノ実体権ヲ有スル者ニ限リ之ヲ行使スルコ

トヲ得従テ他人ノ物ノ受寄者ハ此ノ権利ヲ行使スルコトヲ得サルモノトス」(大判明四〇・二・四刑録一三・二・八六)。

しかし、その後の判例はA所有の棉花をYが保管中盗難にあい、その後Yは――おそらくAに損害賠償をした上で――Aから盗難のままで該棉花を譲受けた。その後Xが平穏・公然・善意・無過失に該棉花を買受けて占有していることがわかったので、YがXに対して返還を請求した事案につき、Yの回復請求権を認めている(大判大一〇・七・四民録二七・一三七三)。ただし、この事案ではYがAから所有権を譲受けているという特殊事情があるため、果して判例が受寄者としてのYの回復請求権それ自体を認めているかどうかは必ずしも明瞭でない。しかし、さらにその後の判例は、

酒樽が盗難にあった際これを占有していた者(所有者との関係、いかなる経由で占有するに至つたかは出典からは不明である)の、侵奪者の善意の特定承継人に対する回復請求を認め、

【61】「民法第百九十三条は占有者が平穏公然善意無過失にて動産の占有を始めたる場合と雖若し其物が盗品又は遺失物なるときは占有者は盗難又は遺失の時より二年内に被害者又は遺失主より回復の請求を受けざるときに限り其物の上に行使する権利を取得すと云ふ主旨なりと解すべきことは已に当院の判例とするところにして今玆に之を改変すべき要を見ず従て同条に云ふ回復とは単に占有の回復を指し占有者が一旦其物の上に行使せる所有権其他の本権を回復することを意味するものにあらざること占有回収の訴に於けると何等の差別あるなく唯従前の占有者は其の民法第百九十二条に当るときは占有回収の訴により占有を回復し得ざるに反し同条の例外規定たる第百九十三条は尚ほ之を回収し得可き場合あることを規定したるの差あるのみされば同条に依り占有を回復せんとする者も亦単に盗難の被害者又は遺失主たる従前の占有者なるを以て十分とし其物が盗品又は遺失品に対し本権を有すると否とを問擬すべき必要を見ざるものとす」(大判昭三・二・一八新聞二八一〇・五)。

としている。

(ロ) 賃借人・受寄者のごとく物を占有する権利を持ち、かつ所有者のためにこれを占有保管する義務ある者に一九三条の回復請求権を認めること自身後述(ニ)の質権者の地位との比較において疑問がある。さらに、賃借人・受寄者に回復請求を認めることと、かかる回復請求権を持つためには、諸判例が従前の占有主であれば足り、本権を有することは必要でないとしていることとの間には、一の飛躍が存するように思われる。【61】は一九三条による回復を占有回収に比していて、この考え方によれば、たとえば従前の占有者もまた盗取して来ていた場合にも回復請求権が与えられる(すなわちA…→B…→C→Dの場合にBがDに回復請求できる)ことになる。占有回収の訴は、善意の第三取得者にまでこれを主張しうるものではない(民二〇〇II)から盗人にもこれを認めることも不当でないに反して、もし自らも盗取者たる旧占有者の利益のために、善意の第三取得者が損害を受けねばならぬとすれば、あまりに不公平であり、また一般的に占有を奪われたものはだれでも一九三条によつて、占有侵奪者の善意の特定承継人にも回復を請求しうることになり、第二〇〇条第二項の存在の意味が失われる。したがつて、一九三条の回復請求権を与えられるのは、仮に所有者だけとは限らないとするとしても、賃借人とか受寄者とか実体的に物を占有する権原を持つものに限るとの制限は少くとも附せらるべきである。

(ハ) (一)に述べたごとくA→A′…→B→Cにおいて、A′が回復請求権を有するが原所有者たるAもまた回復請求しうることはもちろんである。ただし両者の回復請求権の関係について問題であるが、判例にはこの点にふれているものがない。Aは所有権の回復の請求のほか占有の回収をなしうるに反し(柚木・判物総三五八頁は後者はなしえずとする)、A′は占有回収のみなしうると解すべきであろうか。

(二)　質権者は一九三条の回復請求権を有しえない。【60】の事案において、Xの請求を排斥するための傍論ではあるが、

【62】　「質権者ハ実体権者トシテ第百九十三条ニ認許スル回復ノ請求権ヲ行フコトヲ得ヘシト雖モ民法ハ更ニ他ノ規定ヲ以テ此権利ヲ質権者ヨリ剝奪シタリ即チ第三百五十三条ノ規定ニ依ルトキハ動産質権者カ質物ノ占有ヲ奪ハレタルトキハ占有ノ回収ニ依リテノミ其質物ヲ回復スルコトヲ得ルヲ以テ質物カ善意ノ占有者ノ所有ニ帰シタル第百九十二条ノ場合ニ於テハ最早其回復ヲ請求スルニ由ナク従テ第百九十三条ハ終ニ其適用ヲ見サルニ至ル」(大判明四〇・二・四刑録一三・二・八六)。

ただしその根拠づけとしては、動産質権においては占有継続が対抗要件であるから、これを喪失した場合には、もはや第三者に対し自己の質権を主張しえないから、第三者がすでに占有を取得した場合には、質権を基礎としての一九三条の回復請求なるものはなしえないとするべきであろう。もつとも、動産の賃借人や受寄者もその占有を侵奪されたときは、その債権的権利自体をもつて第三者に対抗することはできず、占有回収の訴によるほかはないのに、一九三条による回復が認められることとされている前出(ハ)と比較して、質権者にだけこれを認めないのは不均衡であつて、両者を同一に取扱つた方が妥当であり、そうとすれば一九三条の適用範囲をなるべくせばめるという見地から、賃借人や受寄者にもこの回復請求権は与えないとする方がよいかも知れぬ。

(2)　回復請求権の相手方は盗品または遺失物の現在の所有者である。盗人または拾得者から直接取

得したもののみに限るとする説（石田・物権法論三六一頁）は、一九三条の趣旨を殆んど無に帰せしめる。したがってA…→B→C→Dという場合にはCのみならずDもまた回復請求を受けることになると解すべきである。

（二）　中間時における所有権の帰属

回復請求権が存続する期間中、動産の所有権は原所有者に属するか、取得者に属するかにつき、判例は一貫して前説をとる。

【63】　「被告人ハ氏名不詳者ヨリ贓物タル情ヲ知リ某朝鮮人ノ窃取品ヲ買受ケタルトキハ氏名不詳者カ民法第百九十二条ノ要件ヲ具備シテ占有ヲ始メタルトキト雖モ盗難被害者ハ民法第百九十三条ニ依リ盗難ノ時ヨリ二年間占有者ニ対シ其ノ物ノ回復ヲ請求スルコトヲ得ヘク判示ニ依レハ盗難ノ時ト判示買受ノ時トノ間未タ二年ヲ経過セサルコト判文上明ナル以上右買受ノ時ニ於テモ該物品ハ依然トシテ盗難被害者ノ所有ニ属シ尚盗贓タルノ性質ヲ有スルモノトス」（大判大一五・五・二八刑集五・一九二）。

さらに、つぎの判例は詳細にこの点の根拠づけをし、

【64】　「平穏且公然ニ動産ノ占有ヲ始メタル者カ善意ニシテ且過失無キトキト雖其ノ占有物ニシテ盗品又ハ遺失物ナル場合ハ被害者又ハ遺失主ヨリ二年内ニ其ノ回復請求ヲ受ケサルニ及テ玆ニ始メテ其ノ動産ノ上ニ行使スル権利ヲ取得ス可ク夫ノ一般ノ場合ノ如ク決シテ即時ニ此ノ権利ヲ取得スヘキモノニ非ス民法第百九十三条ハ此ノ趣旨ヲ言顕ハシタルモノニシテ同条ニ『前条ノ場合ニ於テ』トアルハ『平穏且公然ニ動産ノ占有ヲ始メタル者カ善意ニシテ且過失ナキ』場合ニ於テト読ミ做ス可ク『其ノ動産ノ上ニ行使スル権利ヲ取得ス』トアル文詞ニ承接スル意味ニ解スヘキニ非サルナリ蓋シ若シ之ヲ爾ラストシ此ノ場合ト雖占有者ハ一旦ハ即時ニ当

該ノ権利ヲ取得スルモノトセムカ法文ニ所謂回復トハ此ノ権利ヲ還元スルノ義ト解セサル可カラス而モ此ノ回復請求権ヲ有スル者カ被害者又ハ遺失主ナルコトハ規定ノ上ニ昭々タルト共ニ凡ソ被害者又ハ遺失主トハ単ニ不任意ニ占有権ヲ喪失シタル者ノ謂ニシテ必スシモ本権ヲ有スル者ニ限ラサルカ故ニ茲ニ本権ヲ有セサル被害者又ハ遺失主ト雖民法第百九十三条アルニ因リテ其ノ元来有セサリシ本権ヲ回復スルヲ得ルト云フ極メテ不可解ナル結果ヲ見ルニ至ラムナリ豈斯カル理アラムヤ然レハ盗品又ハ遺失物ノ場合ニハ占有者ニ於テ其ノ物ノ上ニ行使スル権利ヲ即時ニ取得スルモノニ非スト解スルト同時ニ此ノ場合ニ於ケル回復トハ猶引渡ト云フカ如ク単ニ占有権ノ移転ヲ意味スルニ過キスト解スヘキ」なり（大判昭四・一二・一一民集八・九二三）。

としている。また次掲の戦後の二つの下級審判例は、いずれも刑事に関するものであるが、以上の理論を前提として、横領罪乃至賍物故買罪の成立を論じている。

第一のは、Aが窃取し乃至は入手したガソリン入ドラム罐三十二本をBが買受け、これを運搬中、警察官に現認され、原所有者に無償返還するよう交渉を受けたが、XはBから依頼を受け該警察官を欺罔しその結果Bはドラム罐六本のみを返還したにとどまり残りの返還を免れるに至つたという事案について、

【65】「若しBが右三十二本が盗品であることを知らなかつたにしても、知らなかつたことについて過失があつたとすれば民法第百九十二条により、動産である右三十二本の油類に付行使の権利を取得しないと同時に賍物であることに気が付いてから之を所有者に返還しない以上完全に返還するまで所有者のため之を保管する法律上の義務を負担すべきもので、之を擅に領得又は費消すれば横領罪が構成するものにして之を領得するに付欺罔手段を講しても詐欺罪は成立しないことは判例の示すところである。従つて之に加工したXも横領罪の共犯者として処断せらるべきである」と説いたのち、「更に若しBが、右三十二本の油類を取得するに付平穏、

公然、善意、無過失であつたとしても、右油類が盗品又は遺失品であつたとすれば民法第百九十三条により二年間所有者から回復の請求がないときは右動産の所有権を取得するが、右二年間は所有権は依然として元の所有者にあるものにして所有者から請求あり次第何時にても無償で返還せねばならない法律上の義務があり、従つてBが盗品又は遺失品であつたことに気が付いてからは完全に返還するまで所有者のため保管すべき法律上の義務があるものと解さねばならない。従つてBとXとが共謀の上、欺罔手段を講じて之が返還を免れて之を領得したのは横領罪に該当し、詐欺罪は成立しない」(名古屋高判昭二三・一〇・五刑集一・二・二二〇)。としている。

第二の事案は自転車が窃取されたのち数時間たつた時に、Xはこれを盗品かも知れないとの情を知り乍ら朝鮮人市場内で住所氏名不詳者から買受け、原審がこれを贓物故買罪の成立を認めたに対し、原所有者(以下Aとする)「から窃取した犯人が該自転車をどのように処分して、いかなる経過によつて住所氏名不詳の男の手に入つたか、その経過は判示証拠及び記録上明らかでない。それで犯人から氏名不詳の男までその占有が……したかも判らないし、その間占有を取得した第三者があつて、民法第一九二条の要件を備へた占有取得をなし、該自転車の贓物性を喪失したかも判らない。それで該自転車がAの盗難品であることから直ちにその自転車を氏名不詳者がXに売渡すとき贓物性を持続したと判断することは出来ない。」なる趣意の控訴がなされたが、控訴審は、「Xは本件自転車をAが盗難にあつた数時間後同市内たる前示場所で氏名不詳者から買受けたものであるから時間的及び場所的関係から見ても右自転車がXの手中に帰する以前においてこれにつき民法第百九十二条の要件を充した占有者があつたとは思われない」とし、さらに

【66】「仮に所論の如く前記のような占有者があつたとしても動産の占有者はその占有の始め平穏且公然善意無過失のときと雖も其の占有物が盗品である場合は被害者より二年以内に其の物の回復請求を受けないことによつて始めて其の動産の上に行使する権利を取得すべく右期間内の盗品の所有権は依然被害者に存在しその贓物性も亦失われることがないのである。所論民法第百九十三条は此の趣旨を表現したもので同条の『前条の場合において』とあるは『平穏且公然に動産の占有を始めた者が善意にして且過失なき場合において』と読み做すべく『其の動産の上に行使する権利を取得す』とある文辞に承接する意味に解すべきではない。従つて盗品を其の盗取の時より二年内に買受けた者は縦令民法第百九十二条の要件を充した者からこれを買取つたときと雖も苟も其の盗品であることを知つていた以上贓物故買罪が成立するものと解すべきである。故に前示の如く盗難当日盗品をその情を知つて買受けたXの場合において本件の自転車はXがこれを取得する以前に民法第百九十二条の要件を充す占有者が介在しその贓物性を喪失していたかも判らないとする弁護人の所論には賛意を表し難い」(福岡高判昭二九・二・一〇刑集七・一・六八)。

として控訴を棄却している。

この問題に関しては、学説中にも判例に同調するものもなくはないが(石田・物権法論三六三頁)、学説はおおむね、一九三条の適用ある場合にも、動産の所有権は、即時取得の要件を具えることによつて、取得者が所有権を獲得するものと解している(我妻・物権法一四一頁、柚木・判物総三五七頁、末川・物権法二四二頁、林・物権法一〇五頁)。一九二条による取引の安全の尊重を重視し、所有権は常にこれによつて取得され、ただ一九三条の要件が存する時にのみ、原所有者の回復請求を認めることが妥当であり、また判例の考え方に従えば二年の期間が経過すると、自働的に所有権が原所有者に移ると考えねばならないが、通説の考え方に従うとこの不都合を避けることができる。

(三)　回復請求権の内容

判例に従つて、回復請求権の存在期間中所有権は原所有者に存すると解すれば、「回復トハ猶引渡ト云フカ如ク単ニ占有権ノ移転ヲ意味スルニ過キ」ない（【64】）が、通説に従つて、この期間中所有権はすでに取得者にありと解するときは、回復の内容は、所有権の回復と占有の回復との両者であるが、両者の関係については疑問がなくはない。(1)回復請求は直接には占有の回復の請求であり、この占有の回復とともに盗難又は遺失の時の本権関係を復活させるものと解する説（我妻・物権法一四二頁）がある。しかしこの説によるときは二年の期間内にこの回復請求権に基づいて占有の回復を請求しても、それが現実に行われないうちは権利関係そのものには変動は生せず、そのうちに二年間――それが除斥期間なるゆえ中断はない――を経過してしまうと、回復請求権は消滅してしまうことになり、不都合である。これに反し、(2)もし回復請求権を直接に所有権回復を目的とする形成権なりと解すれば、一旦回復請求がなされたときは、所有権は原所有者に復帰し、後は一般の所有権にもとづく返還請求の問題となるゆえ、それは二年間の期間に制限されることなく、前説の不都合をさけうる。ただし、回復請求後占有回復前に占有者がさらにこれを善意の第三者に譲渡したときは、この第三者に対する関係においては再び一九三条の問題となろう。

(四)　回復請求権行使の期間

回復請求権は「盗難又ハ遺失ノ時ヨリ二年間」にこれを行使しなければならぬ。この期間は除斥期

間と解されている。この期間の起算点については、

X所有の山林の管理を担任していたAが、其の立木を伐採しこれを、引割り又はさらに細切して善意のYに譲渡した。XよりYに対し盗品の返還を請求。しかしこの時すでに、伐採の時より二年間を経過しているという事案につき、

【67】「他人ノ所有山林ニ於テ其ノ立木ヲ自己ニ領得ノ意思ヲ以テ伐採シタルトキハ之ニ依リ其ノ物ハ動産ト為ルト同時ニ伐採者ノ自由ニ処分シ得ヘキ実力範囲ニ置キタルモノナレハ其ノ時ニ於テ竊取行為ハ完成スルモノニシテ其ノ後ニ山林外ニ搬出シタル時ヲ以テ竊取行為ノ完了シタルモノトシ即盗難ノ時ト為スヘキモノニ非ス然レハ原院カAハ…中略…大正九年一月ヨリ同十年十二月末日マテニX主張ニ係ル山林ニ於テ其ノ主張ノ如キ木材全部ヲ製作スル材料ニ供スル為立木ヲ伐採竊取シタル事実ヲ認メ其ノ盗伐ノ最終日タル同十年十二月三十一日ヨリ起算シ二年ヲ徒過シタルモノトシ加工シタル盗品ノ搬出時期ナル同十一年五月ヨリ之ヲ起算セサリシハ相当」である（大判大一五・三・五民集五・一一二）。

としている。

しかし、この判例に対しては、被害者の側でその意思に反して占有を失った時、すなわち前掲事案においては、山林外への搬出の時を以て占有喪失の時、すなわち盗難の時と見るべしとする反対説がある（末延同件評釈判民大一五・一六事件、柚木・判物総三五八頁、石田・物権法論三六〇頁も同様のごとし）（なお、本件のごとき場合には、そもそも民法第一九三条の適用が全くないと解すべきである点については前述一（三）参照）。

（五）　回復請求権の消滅

回復請求権は、（四）に述べた期間の経過以前であつても、第三者が民法第一九二条以外の原因により、動産の上に完全な権利を取得するときは消滅すると解すべきである。すなわち、A…↓B↓C

の場合にDが、たとえば加工によってその物の所有権を取得した時（民二四六Ｉ但書）などがそれである。押収された盗品が還付不能のため刑事訴訟法第四九九条によって国庫に帰属した場合もそれであろう。「押収された盗品が刑事訴訟法四九九条によって国庫に帰属した後、第三者に公売された場合、被害者は、民法一九四条によってその物を回復することができない」（昭二六法務府法制意見第一局発第一一号）という公権解釈があり、この意見は、かかる物件については、民法一九四条の適用がないというのであるが、その意味は、原所有者が国庫乃至国庫からこれを公売で買受けたものに対しては無償で返還を請求しうるという趣旨ではなく、もはや回復請求はなしえないという意味であるから、正確には、一九三条の適用がないという点に問題の中心が存するのである。

なお中間時の二年間の所有権が取得者に属するものと解すれば、A…→B→Cにおいて、Cが該動産を放棄してDがこれを先占取得し（民二三九）、またはCが死亡して相続人がなく相続財産が国庫に属した場合（民九五九）についても、D乃至国庫は完全な所有権を取得し、Aはもはや回復請求なしえぬことになろう。これに反して、中間時の所有権は依然原権利者にありとすれば、Cの放棄によっても動産は無主物とならず、またCが死亡してもそれは相続財産に属しないから、D乃至国庫は所有権を取得しないから、Aの回復請求権はもちろん消滅しない。

三 代価の辨償

一九三条の回復請求権者は、その物の回復に対して何等占有者に弁償する必要がないのを原則とする。ただし、取得者が「競売若クハ公ノ市場ニ於テ又ハ其物ト同種ノ物ヲ販売スル商人ヨリ善意ニテ買受ケタルトキハ」「占有者カ払ヒタル代価を弁償スルニ非サレハ」回復請求権を行使しえない。かかる場合には、取引安全の尊重の要求が特に強いからである。一九三条については、取引の安全の見地から努めてその適用範囲を縮少して解釈すべきこと前述の通りであつて、一九四条については、同じ精神から逆にその適用範囲をなるべく拡げるようにすべきであろう。

（一）　取得者が一九四条による保護をうけるための要件としては、「競売若クハ公ノ市場ニ於テ又ハ其物ト同種ノ物ヲ販売スル商人」から買受けたことが必要である。「同種ノ物ヲ販売スル商人」なる概念については、最近の下級審判例が二つある。かかるものに該当するとされた例としては、

【68】「次に、訴外甲会社は中古自動車を販売する商人であつたかどうかの点であるが、右両証人の証言によれば、訴外甲会社では、他から買受けた中古自動車のうち自己のところで登録できなかつた車を他に売却することもやつていたこと、昭和二十七年四、五月頃から本件自動車を買受けるまでに被告は、訴外甲会社から既に四台もの中古自動車を買受けていること、更に同訴外甲会社は、中古自動車を、訴外乙会社に二台、丙に数台売却していることを認めることができ、右認定に反する証拠はない。そうであつてみれば訴外甲会社は中古自動車の販売を業としておつたものと認めるのが相当であるから、民法一九四条の『同種ノ物ヲ販売スル商人』に該当するものといわなければならない。したがつて、被告は、本件自動車を同種の物を販売する商人である訴外甲会社から所謂即時取得したこととなる」（東京地判昭三一・四・二八下級民集七・四・一〇七九、〔11〕と同事件）。

また、かかるものに該当しないとする例としては、

X が古物商 Y から羽二重生地四十ひきを購入したがそれは Y′ 会社からの盗難品であつた。その後 X 方へ警察署員が来て Y に対する贓物故買被疑事件の証拠品として必要なりとして任意提出を求

め、やがてこれをY′に還付してしまつた。判例はXよりYへの損害賠償請求はこれを認めるが、XのY′会社に対する民法一九四条にもとづく弁償金請求については、

【69】「Yが質屋兼古物商を営むことはY′会社の明にこれを争はないところであるから、本件羽二重が所謂古物であるならば、古物商から買受けたものとして、右民法百九十四条の適用あることは勿論であるが、古物商取締法第一条によれば古物とは一度使用したもの若しくはその物品に幾分の手入をなしたものを言うと規定している。しかして、本件羽二重は纎維商であるY′会社所有の品物であつたが竊盗犯が竊取して来たのをYにおいて直接入手したものであることは当事者間に争がないから、右法条に照らし、本件羽二重を古物と認定することはできない。従てXがYから本件羽二重を買受けたことは、古物商から古物を買受けたことには該当しないこと明かである。それでは右羽二重を同種の物を販売する商人から善意で買受けた場合に該当するかどうかを考えてみると、古物商がその営業として衣類反物類をその新古を問はず、販売していることは顕著な事実であるが、純然たる新品を販売する場合は古物商営業ではなく普通の物品販売と見做さなければならないから斯る場合には古物商が物品販売業を兼営しているものを謂ふべきである本件に於てYが古物商として新古品を販売していたことは推認に難くないけれども同Yが当時あたかも織物商の取引の様に何等加工を施さない新品の羽二重生地を四十ひき（但し一ひき三十ヤールもの）と言ふ多量に販売取引していたと認めるに足る何等の証左がないのでYを羽二重と同種のものを販売する商人と認定することは出来ない。従てXが本件羽二重をYから買受けたことは民法第百九十四条に所謂其物と同種の物を販売する商人から買受けた場合にも該当しない。然らばXはY′会社に対し代価弁償請求権を有しないこと明かである」（福井地判昭二五・四・（日付不明）下級民集一・四・六四三）。としている。

(二)　取得者が代価の弁償を要求しうるためには、その取得の基礎となつた取引行為自体が有効で

あることを必要とする。しかし、このことは、そもそも民法一九二条の適用がある場合に必要な前提であつて、特に民法一九四条の適用だけについて問題となることだけではない。

Xが罐詰をAから買受けたが、それは盗品で、この罐詰に関する窃盗被疑事件の捜査のため警察署員がX方に来たのでXはこれを任意提出し、のちY市警察署はこれを被害者Bに還付した。XよりYに対し損害賠償の請求をなした事案につき、判例は、Yの行為は刑事訴訟法の諸規定に反しないばかりでなく、さらに

【70】「本件アンズジャム罐詰の取引当時現実にその統制の行われていなかつた事実はXの提出援用にかかる全証拠によるも、これを認めることはできなく、…中略…X会社は右罐詰が盗品であることには気がつかなかつたと言うているけれども、その買受が臨時物資需給調整法並に物価統制令に各違反し、所定の割当公文書と引換えることなく又公定の価格をも超過した所謂闇取引であることを承知してこれを敢行した事実が認められ、右は所謂物資の統制に違反した絶対無効の取引であることが明らかであつて、かかる取引は、盗品又は遺失物を、競売若しくは公の市場において又はその物と同種の物を販売する商人より善意で買受ける正常なる取引の安全を図ろうとする民法第百九十四条の保護の対象外にあることが明らかであるので、Yの警察職員の前叙罐詰に関する各措置によつて不法にX会社の同法所定の代価弁償請求権を作為によりても不作為によりても侵害することはありえないところであつて、いずれの点よりするも爾余の点について判断をなすまでもなくXのYに対する本件罐詰の買受代金相当額の賠償請求は失当である」（名古屋高判昭二八・七・三一下級民集四・七・一〇六四）。

しかし、この判例については、次の点で若干の疑問がある。(1)AX間の売買が統制法違反であるとしても、それが判旨のいうごとく絶対無効であろうか（現に【37】の事案においては、統制品たる電

気銅を割当証明書なしに買受けた場合、この売買を無効とすることなく、さらには、他の諸事情を併せ考えるときは、買主に過失ありとさえいえないとしている。）。(2)もしＡＸ間の売買が判旨のいうごとく絶対無効であれば前述のごとくＸについては、そもそも民法一九二条以下の適用がなく判旨が、「民法第百九十四条の保護の対象」となるかだけを問題にしているのは理論的におかしい。

(三)　本条が適用されるためには、物が現存することを要するか。判例はこれを肯定する。

すなわち【37】と同事件において、盗品たる電気銅を買受けた者が、これを製銅所に送つて電線を作らしめ、自己経営の鉄道施設の架線として使用し、現在もこれを占有しているので所有者が代価の弁償と引換えに、該電線の返還を請求した事案につき、控訴審は、

【71】　「然るに前記民法第百九十四条は被害者、善意占有者のいずれの利益のために制定されたかは多少議論のある所ではあるが、とも角被害者のために盗品の回復権を認めると共に善意占有者に対する代価の弁償義務を負わせ後者に不測の損害を被むらせないようにしたことは間違のない所である。それ故被害者が盗品の回復即ちその占有の移転を受けようとする場合には、たとえその物の実際の価格が善意占有者の支払つた代価より低額であつても、該代価を弁償しなければ盗品を回復することができぬ結果となる。従つて被害者はこの場合盗品に多くの執着を持たぬ限り実価より高い占有者支払の代価を払つてまでも盗品を回復しようとしないであろうし、これを回復すると否とは全く被害者の自由意思に一任されるのである。かように民法第百九十四条の法意を探究するとき、被害者の盗品回復請求権は当然盗品の存在ということが不可欠の一要件であるのが容易に了解され、若し回復請求の際盗品にして存在せずとせんか被害者には最早この回復請求権がなく占有者はその引渡義務を負わぬものといわなければならぬ。」（大阪高判昭二四・三・二六、〔72〕の判例中七九〇頁以下所掲）。

とし、最高裁もこれを支持して

【72】「原審は民法一九四条により占有物を回復するには、その物の現存することを前提とするところ、本件物品は現存しないのであるから、上告人の請求は失当であるとしてこれを排斥したものであつて、その判断は正当である」（最判昭二六・一一・二七民集五・一三・七七五）。

おもうに、回復請求権の行使について、物の現存を要するや否やは、単に民法一九四条の適用についてだけでなく、一般に民法一九三条の適用について問題になることであり、論理的にはまず民法一九三条による回復請求権の有無が論議され、これが有とされて始めて民法一九四条による代価の弁償を必要とするかが問題となる（ここでは、物の現存の問題はもはや関係がない）のであつて、とくに【71】の判旨がいきなり物の現存の問題と民法一九四条の適用の有無とを直接結びつけて論議を展開しているのは、正しくない。さて一般に民法一九三条の適用について考えると、回復請求権の性質を通説に従い所有権回復を目的とするものと解するか、判例に従つて占有の回復を目的とするものと解するにせよ、現物の存在を前提としていることは、疑ないように思われ、また民法一九三条の適用を極力狭く解釈すべしとする考え方からも、そう解すべきであろう（ただ本件のごとく盗品の変形せられた物が取得者に保有されている場合には、回復請求が認められないということは、かれが盗品を更に転売した場合には転買者が原所有者から回復請求を受けると、転売者は転買人から追奪担保責任を負わされねばならなくなることと比較して、やや権衡を逸する如くにも感じられるが止むをえぬことであろうか）。

（四）　民法一九四条の適用がある場合といえども占有取得者に積極的に代価弁済の請求権があるわけではない。すなわち原所有者に代価を弁償して引取れと要求することはできない。ただもし原所有者が引取りたいなら代価を支払えという抗弁権があるにすぎない。このことは抽象論としては問題ないが、具体的には盗品を善意で買得した者から、警察が犯罪捜査のためにこれを任意提出せしめ、後これを原所有者に還付してしまう場合に、しばしば起つている。判例は、

【73】「民法第百九十三条ニ於ケル物ノ回復ハ無条件ニ之ヲ請求スルヲ得ルヤト云フニ必スシモ爾ラス或場合ニハ占有者ノ払ヒタル代価ヲ弁償スルニ非サレハ回復ヲ為シ得サルヘク即之ヲ占有者ノ側ヨリ云ヘハ右ノ弁償ナキ限リ其ノ回復ノ請求ニ応セサルコトヲ得ヘシ民法第百九十四条ハ此ノコトヲ規定シタルモノニ外ナラス故ニ同条ハ占有者ニ与フルニ一ノ抗弁権ヲ以テスルニ止マリ一ノ請求権ヲ認ムルノ法意ニ非ス」（大判昭四・一二・一一民集八・九二三、〔64〕と同事件）。

としているが、学説はこぞつてこれを非難し「被害者は、目的物を回復するか、それを断念するかを選択することは自由だが、目的物を回復する以上は、必ず代価を弁償すべきである。従つて、即時取得者は、一度任意に交付した後でも、代価を弁償するかこれを欲しないなら目的物を返還するかいずれかをせよと請求する権利を失わないと解すべきである」（我妻・物権法一四三頁）としている（同旨末川・物権法二四四頁、柚木・判物総三六〇頁）（ただし、この事案は古物商同志が通謀転売した疑いが強く、当時は今日の古物営業法のごとく古物商に周到な注意を要求する規定が存しなかつたから、かかる判例がなされたものと考えられ、具体的結果としてはむしろ妥当だつたのかも知れぬ）。

それ以降この問題を正面から扱つた判例はないが、前出【69】事件においても、結局Xの弁償金請求を拒否してはいるが、それはXの前主Yが「同種ノ物ヲ販売スル商人」でなかつたからで、若しこのことがなければ、Xは代価請求をなしうるかのごとき口吻を示しているし(福井地判昭二五・四・(日付不明)下級民集一・四・六四三)、また【70】事件についても、もしXの購入が統制法違反でなくば代価請求は認められるとするごとくであつて(名古屋高判昭二八・七・三一下級民集四・七・一〇六四)、【73】の立場が今日もなお貫ぬかれているものとは一途にはいえない。

(五)　古物商・質屋等常に古物を扱う業者には通常人より大きな注意力か要求され、したがつてかれらが盗品等を譲受けた後原所有者から回復請求を受けた場合、通常人ならば代価の弁償を請求しうるごとき状況にある場合にも、これを請求できない(古物営業法二一、質屋営業法二二、公益質屋法一五Ⅰ)。なお、これらの規定は必ずしも正規の古物営業の許可を得ていなくても、事実上古物商を営んでいるものにも適用ありとする判例(最判昭三一・六・二九民集一〇・六・七六四)があり、質屋についても同様のことがいえるであろう。

五　動産以外の対象と即時取得

すでに第二章の一で述べたごとく、民法第一九二条以下の規定は、動産についてのみ適用され、その他の対象には適用がない。しかし等しくこれらの規定の適用外であるといつても、その意味するところは大いに異る。すなわちある種の諸対象は、その取引が動産における程頻繁でなく、したがつて動的安全(取引の安全)の保護よりも静的安全(真の権利者の安定)を計ることがより大切であるがため一九二条以下の適用がないのである。これに対し他の諸対象は、その取引が動産よりも頻繁で取引安全の保護の必要度は動産よりも大きく、したがって一九二条以下とくに一九三条の適用を避けるのである。

一　取引安全尊重の必要度が動産より低いもの

（一）一般の債権　証券に化現されない一般の債権は、取引の対象とされることが稀であり、即時取得の規定の適用を必要としない。

判例は定期預金証書を、「見せ金」とする目的ですなわち他に流用しない約束で、借りた者が白紙委任状を偽造添附して（この点につき後述（五）参照）他人に入質した事案につき、

【74】「定期預金証書ハ之ニ記載セラレタル定期預金債権ノ存在ヲ証明スル証書ニシテ権利者ニ於テ之ヲ占有スル場合ニ於テハ固ヨリ其ノ証書ノ上ニ所有権ヲ有スルモノナリト雖権利者ハ其ノ債権ノ処分ト共ニ其ノ証書ヲ取引ノ目的ニ供シ得ルニ止マリ債権ヲ処分スルコトナク債権ト分離シテ証書其ノモノヲ動産トシテ之ヲ取引ノ目的ニ供スルコトハ単ニ之ヲ一片ノ反古トシテ処分スル場合ノ外之ヲ認ムルコトヲ得サルナリ果シテ然ラハ無権利者ヨリ定期預金証書トシテ該証書ヲ取得シタル第三者ハ民法第百九十二条ノ規定ニ依リ即時ニ其ノ証書ノ上ニ行使スル権利ヲ取得シ得ルモノト解スルヲ得ス蓋同条ハ動産取引ノ安全ヲ保護スルコトヲ目的トスル規定ナルヲ以テ叙上ノ如キ場合ニ同条ノ適用アリト為スハ同条立法ノ趣旨ニ適合セサレハナリ」（大判昭二・二・一民集・六・三五）。

として一九二条の適用を拒否している。定期預金債権のごとく証書と債権の存在自体とが可成密接に結びついている場合にすら、証書の占有による債権の準占有を基礎とする即時取得は否認されているのであつて、普通の借用証書のごとく債権自体との結びつきが弱い場合には、証書の占有を基礎とし

ての即時取得の成立は（これを肯定するもの、中島・物権法上二七三頁）もとよりこれを肯定しえず、次の二つの判例も、電話加入権に関する事案について（この点次出（二）参照）であるが、広く一般債権について、即時取得の適用なきことを説いている。

【75】　「民法第百九十二条ハ動産ノ占有ニ限リタル規定ニシテ同第二百五条ニ依リ他ノ財産権ノ行使ヲ為ス場合ニ之ヲ準用スヘキモノニ非ス無記名債権ハ之ヲ動産ト看做スコトハ同第八十六条第三項ノ規定スル所ナレハ無記名債権ニ対シ即時時効ノ適用アレハトテ其他ノ債権ニモ等シク之ヲ準用スヘキモノト論スルコトヲ得ス」（大判大七・四・一三民録二四・六八一）（後出【77】と同事件）。

【76】　「按スルニ何人モ自己ノ有スルヨリモ多クノ権利ヲ他人ニ移転スルコトヲ得サルヲ原則トス然レトモ動産ハ其性質上常ニ其所在ヲ輾転シ得ヘキモノニシテ動産上ノ権利ヲ移転スルニハ多クハ交付ニ依リ一一証書ヲ作成セサルヲ普通ト為シ之ヲ譲受ケントスル第三者ハ譲渡人ノ動産上ノ権利状態ヲ知ルニ困難ナル地位ニ在ルヲ以テ現在ノ占有者ヲ以テ真ノ権利者ナリト信シ之ヲ譲受クルヲ通常トス故ニ善意ニシテ何等ノ咎ムヘキモノナキ第三者カ動産上ノ権利ヲ譲受ケタルニ其譲渡人ハ真正ナル権利者ニアラサリシ為メ後日真正ナル権利者ヨリ其ノ取戻ヲ請求セラルルトキハ第三者ハ不測ノ損害ヲ被ムルニ至ルヘシ是動産ニ付キ民法第百九十二条ノ規定ヲ設ケ第三者カ平穏公然且善意無過失ニ動産ノ占有ヲ為シタルトキハ無権利者ヨリ其権利ヲ譲受ケタル場合ト雖モ其動産ノ上ニ行使スル権利ヲ取得スルコトト為シタル所以ナリ動産上ノ権利ニアラサル財産権ニ在テハ其移転ハ動産上ノ権利ノ如ク頻繁ナルモノニアラス之ヲ譲渡スルニ当リテハ多クハ証書ヲ作成シ加フルニ譲渡ニ付キ登記又ハ登録ノ制度アルヲ以テ第三者ハ真ノ権利者ヲ知ルニ困難ナラサル場合尠カラス故ニ此財産権ニ付テハ第三者ヲ保護スヘキ特別規定ヲ設クルノ必要ナシト謂フ可シ是ヲ以テ民法第百九十二条ハ動産ノ占有ノ場合ニ於ケル特別規定ニシテ民法第二百五条ニ所謂準占有ノ場合ニ準用セラレサルモノト解スルヲ相当ト

ス」（大判大八・一〇・二民録二五・一七三〇）。

（二）　電話加入権　電話加入権なるものの性質はやや不明であるが、その譲渡は原則として自由であり（公衆電気通信法三八）、その公示は電話加入者原簿への名義登録によつてなされ（同法四〇）、帳簿上の記載という点で不動産物権に類似するから、占有又は準占有を基礎とする即時取得を認めることは適当でない。この趣旨を認める判例は多数ある。

まずXの妻Aが、Xの犯罪容疑による在監中に、自己の占有するXの実印を利用して、X所有の電話加入権をBに譲渡担保として譲渡し、名義書換を終え、Bからさらに善意のYにこれを譲渡名義書換をしたが、後XよりYに該名義の自己への変更（回復）を請求した事案につき、まずAの行為が妻の日常代理権の範囲を超えたものであり、かつ夫の実印を有するのみでは、Xのための表見代理となることもないとし、さらに前出【75】の論述につづいて、

【77】「然レハ電話加入権ハ電話官庁ニ対シ有スル電話ノ利用ヲ目的トスル一種ノ債権ナルヲ以テ原院カ本件電話加入権ニ民法第百九十二条ノ準用ナキ旨ヲ判旨シタルハ相当ニシテAカXノ入監不在中其電話機ノ代理占有ヲ為スヤ否ヤヲ問フノ要ナシ」（大判大七・四・一三民録二四・六八一）。

としてXの請求を認めており、また【76】も内容は全く【75】すなわち【77】と同一らしく、これに対して【77】と全く同一趣旨の判示がなされている（大判大八・一〇・二民録二五・一七三〇）。

また未成年者Xの後見人Aが、親族会の同意をえずに、Xに属する電話加入権をYに売却し、YはXの未払電話料金を立替えて支払つた。その後Yは該加入権をBに譲渡し、かつXに対し立替電

話料金の返還を請求した。これに対し、ＸはＹへの売却を取消し、しかも、ＹよりＢへの譲渡によりＢが該加入権を即時取得したゆえ、Ｘはもはやこれを取戻することをえず、ＹはＢへの売却代金を不当利得したから、この返還請求権を以てＹへの立替金支払債務と相殺すると仮定抗弁を提出した事案につき、

【78】「今電話利用権ノ譲渡カ右第九百二十九条違反ノ事由ニ因リ適法ニ取消サレタル場合ニ於テ当該権利カ既ニ善意ノ第三者ニ属シタリトスルモ此ノ場合ニハ民法第二百五条ニ依リ動産上ノ権利ニ関スル同法第百九十二条ヲ之ニ準用スルニ由ナキモノトス何トナレハ右第百九十二条ハ権利ノ目的カ動産ナルコト換言スレハ動産ノ占有ノ場合ニ於ケル特別規定ニシテ其ノ性質上権利ノ準占有ニ準用セラレサルモノト解スルヲ相当トスレハナリ（大正八年（オ）第四百五十五号同年十月二日言渡当院判決参照）果シテ然ラハ原判決ニ於テ電話利用権ノ得喪ヲ目的トスル行為ニ付テモ亦民法第九百二十九条ニ従フヘキモノト為シタルニ拘ラス此ノ権利ノ占有ニ付テハ同法第百九十二条ノ準用ナキ旨判示シタルハ相当」（大判昭九・五・五民集一三・五六二）である。

としてＸの仮定抗弁を却け、Ｙの請求を認めた。

さらに、Ａが区役所のアルバイトを装ってＸ宅を訪れ詐ってＸの実印を出させ、これを持逃げし、これを利用してＸに属する電話加入権をＹに売却し、電話局の加入権譲渡承認を受けた事案につき、

【79】「電話加入権は電話官庁に対する一種の債権であり、民法第一九二条は動産に限り適用があるもので、同法第二〇五条の規定により他の財産権に準用すべきものでない。又加害者である学生風の男がＸの代理人でも又以前代理人であつたこともなく、全く無関係者であつた事は当事者間に争のないところであるから、

表見代理にもならない。次に善意の第三者保護の適用ありや否やを考えるに、この制度は取引界の要請に基き極めて制限された範囲で認められるもので、それには法律、又は慣習によつて是認せられることが要件である。然るに電話加入権については其の善意取得が認められて居る法規、慣習等は存在しない」(東地昭二四・二・一新体系・民法3一二八ノ二四)。として、Yの即時取得の主張を否認した判例も存する。なお判例中には、事情によつては電話加入権についても即時取得の生じうることを認めるごときものがある(大判昭六・九・一六民集一〇・六七五、後出(84))。しかし、この事件は、後述のごとく、表見代理の問題として解決されるべきものであり(後出(五)参照)、少くとも、この判例を一般化して、電話加入権にも即時取得の規定の適用ありということは、妥当でないであろう。

(三)　不動産　不動産につき、即時取得の適用がないことは、立法論的批判の有無はともかくとして、疑ない。ただ抵当権については、例外的に、結果としては、公信力が認められるのと略々同一の現象が生ずることがある。

(1)　抵当証券が発行される場合、登記官吏は発行に当つて一定の者に対して異議を申立つべき旨の催告をなし(抵当証券六・七)、これらの者が異議申立乃至訴の提起を一定期間内にしない時は、かれらは爾後抵当証券の善意取得者に対しては、その権利を主張しえないことになる(同七・一〇)。したがつて、かれらの権利が登記簿の記載事項に関するものであるときは、その限において、公信力を取得したのと同一の結果となる(但し、抵当証券は、現実においては殆んど利用されないから、以上の点も実際には余り意味を持たない)。もつとも此の制度は、理論的には即時取得乃至公信の原則に関するものというよりも、真の権利者が異議を申立つべきにかかわらず、これを申立てなかつたことに基づく失権乃至失効 Verwirkung の一種と考うべきである。この趣旨をさらに強化したものが(2)の制度である。

(2)　財団抵当の設定のためには、これに先だち財団を組成し財団所有権保存の登記をしなければならないが（たとえば工抵二二・二三）、その際登記官吏は、一定の権利者に一定期間内に権利を申出づべきことを催告し（同二四I）、もし権利者が申出ないときは、その権利は存在しないものと看做される（同二五）。ここではすでに公信力の考え方は全く失なわれて、失権の考え方が表面に出ている。この制度に関する判例としては、

Xが A所有の機械を買受け引続きこれをAに賃貸使用させているうち、Aはこれを第三者に売却、輾転の後Y会社がこれを取得、Yはこれを以て他の物件と共に工場財団を組成、Bより融資をうけ、該工場財団上に抵当権を設定、その後XよりYに対し該機械の返還を請求した事案につき、

【80】「工場抵当法ハ工場所有者ノ信用ヲ増進スルノ目的ヲ以テ担保ノ目的タル工場財団ヲ処分シタル場合ニ於テ之カ取得者ヲシテ真チニ工場ノ営業ヲ続行スルヲ得セシムル為メ工場財団ヲ組成スル各種ノ権利ノ集合体ノ上ニ抵当権ヲ設定スルコトヲ得セシメ抵当権者ヲシテ自己ノ承諾アル場合ノ外ハ其ノ権利ノ目的タル財団ノ上ニ何等ノ変更ヲ受クルコトナカラシムルヲ本旨トスルモノニシテ或ハ右財団中ニ第三者ニ属スル権利ノ混入スルナキヲ保セサルカ故ニ動産ニ対シテハ一方ニ於テハ右第三者ヲ保護スル為メ同法第二十四条ニ於テ公告期間ノ規定ヲ為シ以テ其権利ヲ申出ルコトヲ得セシメ他方ニ於テハ抵当権者ヲ保護スル為メ同法第二十五条ニ於テ前記公告期間内ニ権利ノ申出ナキトキハ其権利ハ存在セサルモノト看做ス旨ノ規定ヲ設ケタルモノニシテ右第二十五条ニ於ケル法律上ノ擬制ハ抵当権ノ消滅ニ因リ工場財団ノ消滅セサル限リハ存在スルモノト解スルヲ相当トス故ニ原院カXハ本訴物件ニ付キ公告期間内ニ権利ノ申出ヲ為サスシテ該物件カYノ設定シタル工場

財団ニ包含セラレBニ抵当登記セラレタル以上ハXハ最早該物件ニ付キ所有権ヲ主張シ得サルヲ以テ其権利ヲ主張シ本訴物件ノ返還ヲ求ムル請求ハ不当ナル旨判定シタルハ相当ニシテX所論ノ如キ不法アリト云フヲ得ス」（大判大二・三・一二民録一九・一五二）。

としている。この判例で注目すべきは、原審が、公告期間内に申立をしなかつた「第三者ハ絶対ニ其ノ権利ヲ喪失スヘキモノトス」（函館控判・明四三・月日不詳新聞七九三）としているに対し、かかる第三者の権利は「抵当権ノ消滅ニ依リ工場財団ノ消滅」するまで、存在せざるものと看做されるにすぎないことを認めていて、権利の相対的喪失という点であり、即時取得の制度が取得者側の権利の絶対的原始的取得とその反射としての原権利者の権利の絶対的喪失とから成立つているのと異る点に注意すべきである。

(四)　記名公債証書および記名株券（旧法時代）

(1)　記名公債証書については、

X所有の記名公債証書をAが窃取し、Xの実印を偽造してX名義の書換代理委任状を作成し、該公債証書を売却し、輾転して株式公商Bを経て善意のYがこれを取得し、後これを政府に納入して無記名公債証書に書替えて握持していたが、XよりYに返還を求めた事案につき、原裁判所は、Yは公商を経由して本件公債証書を善意で買受けたのだから支払代価を弁償しなければ回復請求はできない。としたに対し、Xが上告し、大審院は、

【81】　「而して公債証書は債権を証明する証書なれば債権の存在する間は債権と分離して別に証書其者のみの所有権を生ずるものに非らず故にYは公商Bの手より当時記名なりし本件公債証書を善意に買受けたるも其

債権を有効に取得したるものに非らざれば其証書のみを分離して動産の占有に関する民法第百九十二条乃至第百九十四条の規定を適用するを得ず又Yは買受の当時本件公債証書の記名なりしを爾後無記名に書替への手続を為したるも之に因りて債権を取得せざるは勿論にして新証書は依然同一の債権を証明するの具たるに過ぎざれば其実質に於て変更を生じたるものにあらず随て真正の債権者たるXの有に帰すべきものにしてYは其返還を拒むことを得ざるものとす」（言渡期日脱落・明三六年か。新聞一四八・九）。

としてXを勝訴せしめている。

(2)　記名株券の譲渡については、今日では立法によつて改められ、即時取得が認められている（但民法一九二条によるのではない、後述二(一)(2)参照）、が旧時には(1)の場合と同様に扱われていた。たとえば、X所有の無記名株券が盗難にあい、輾転してYの手に入り（輾転とした手段としては白紙委任状が附せられていたと思われるが、その点は判例集からは明瞭でなく、判決理由においてもその点には触れていない）、XがYに該株券の返還を求めた事案について、

【82】「民法第百九十二条及ヒ第百九十四条ハ書面上ノ記載其他何等ノ手続ヲ要セス甲者ノ手ヨリ乙者ノ手ニ引渡スノミニ因リ容易ニ且迅速ニ占有ノ移転シ得ヘキ有体物即チ動産ノ取引（売買交換等）ニ付キ当事者ニ安全ヲ与ヘ以テ之ヲ保護スルノ精神ニ出テタル規定ナリトス又無記名債権ハ之レヲ表記スル証券ナキニ於テハ殆ント其存在ヲ想像スルコトヲ得サルモノヽ一ニシテ而シテ凡ソ無記名債権ト云ヘハ債権ヲ表示スルモ其権利者ノ何人ナルヤヲ表記セサル紙片ニシテ債権ハ其紙片ニ化体シ其紙片ノ所持者ハ即チ債権者ナリト看做サルヘキモノニシテ是レ所持人証券ノ別称アル所以ナリ又民法第八十六条ニ於テ無記名債権ハ之ヲ動産ト看做ストノ規定アル所以ナリ而シテ前示ノ如ク証券ニ化体セル所ノ債権ハ他ノ手続ヲ要セス手渡ニ因テ占有ノ移転シ得ヘ

キモノナレハ亦前掲法条ノ適用ヲ受クヘキモノトス然レトモ仮令動産ト雖モ船舶ヲ目的トスル取引ノ如キハ商法第五百四十条第一項ノ手続ヲ要スルモノナレハ前掲法条ノ適用ヲ受クヘキモノニ非ス今マ本件記名株券ニ付キ按スルニ該株券ハ株式ノ所有即チ債権ヲ証明スル具トシテハ価値アルコト勿論ナレトモ其実質ニ至テハ価値ナキ一個ノ紙片ニシテ動産即チ財産ヲ成スモノニ非ス財産ヲ成スモノハ株券其モノニ非スシテ之ニ表記シアル債権其モノナリトス従テ記名株券ノ占有者ハ必スシモ其株券ニ表記シアル債権ノ占有者ニ非ス又仮ニ記名株券ヲ動産ト看做スヘキモノトスルモ取引ニ因リ記名株式ヲ取得スルニハ当事者ノ一方ヨリ他ノ一方ニ之ヲ表記スル株券ヲ手渡スルノミヲ以テ足ルニアラスシテ商法第百五十条ノ手続ヲ要スルモノナレハ旁前掲法条ノ適用ヲ受クヘキモノニ非サルヤ知ルヘシ」（大判明三六・一二・一 民録九・一二八・一三五二）。

としてXを勝訴せしめている。

なお、わが国の商慣習として、記名株券の名義人がその株券に名義書換に関する白紙委任状を添附して他人に交付するときは、それは無記名株券と同様に流通し、判例もこの慣習を有効と認めていた。しかし即時取得に関しては、前述した記名株式一般についてと同様、これを適用しないとの立場を固執していた。たとえば、

【83】「民法第百九十二条ハ動産ノ占有ノ場合ニ於ケル特別規定ニシテ同第二百五条ニ所謂準占有ノ場合ニ準用セラレサルコトハ本院判例ノ存スル所ナルニ依リ白紙委任状添附ノ儘本件記名株券ノ占有ヲ取得スルモ之ニ依リ同株主権ヲ取得スヘカラサル」ものとす（大判昭六・五・一五 新聞三二七六・一三）。

なる判例があり、その他同趣旨のものが多数ある（後述〔85〕の次に番号を附さずにあげている諸判例がそれである）。

（五）　表見代理制度との隣接——白紙委任状附権利の譲渡。以上の（一）乃至（四）に述べた諸対

象について即時取得の諸規定の適用がないことは上述の通りであるが、しかし、これ等の諸対象についても、取引が相当に行われないわけではなく、就中かかる紛糾につき原所有者になんらかの過失がある場合には、衡平の見地からも、善意の取得者を保護する事が必要である。たとえば、

XがAに対する債務のためにその有する電話加入権を担保とし、債務不履行が生ずるときは、Aに於てXよりAへの名義書換をなしうる旨の特約をなし、Xは電話局への申請のために所定の申請書に記名捺印してこれをAに交附した。Aは約に反して該電話加入権をYに譲渡し、かつ該申請書を利用してYに譲渡し、かつ前述の申請書を利用してYへの名義変更をなした。XよりYに、該名義書換の無効を理由とし、自己の名義回復を請求した。原審は上掲の諸判例に従つて、電話加入権には第一九二条の適用なしとしたが、大審院は、原判決を破毀し、Yを勝訴せしめた。その判決理由はやや冗長であるが、前述の一般理論をよく説いているので、次にかかげる。

【84】「案スルニ一般ノ取引若クハ或種ノ取引ノ行ハルルコト漸ク頻繁トナルニ伴ヒ第三者保護ノ必要亦従ヒテ其ノ程度ヲ増進スルニ至ルハ勢ノ自然ナルモノニ外ナラス蓋第三者カ或権利ニ関シ或人ト取引ヲ為サムトスルニ当リ如何ニシテ当該権利ハ其ノ人ニ帰属スルニ至リシヤ若クハ如何ニシテ其ノ人ハ之ヲ処分スルノ権限ヲ得ルニ至リシヤ等ノ点ニ付キ逐次遡源一々其ノ経路ト由来トヲ探究シテ後始メテ事ニ従カフニ非サレハ或ハ不測ノ損害ヲ被ルコト無キヲ保セスト云フ状態ノ下ニ在リテハ取引ノ敏活ト安全ト得テ之ヲ期ス可カラサルハ殆ント多言ヲ俟タサレハナリ左レハ此趣旨ニ出ツル第三者保護ノ方法則チ一ニシテ尽キス夫ノ所謂抽象的法律行為ナルモノヲ認メタルハ其ノ一ナリ即チ或種ノ法律行為ニ在リテハ所謂原因ノ有無ハ之ヲ問フコト無ク権利ノ設定変更若クハ移転ト云フ当面ノ効果自体ハ兎モアレ当事者間ニ発生スルモノトシ従ヒテ第三者ハ唯此ノ効

果自体ノ存否ヲ尋ヌレハ則チ足リ又原因ノ如何ヲ細査スルヲ須ヒスシテ安ンシテ取引ヲ為スヲ得ルト共ニ右ノ原因ノ或ハ欠如セル当事者間ニ於テハ相対的ノ効力有ルニ過キサル不当利得返還請求権ヲ認メテ以テ其ノ間ノ救済ヲ計ルモノ之ヲ抽象的法律行為ノ本質ト為ス蓋第三者ヲシテ比較的容易ニ且確実ニ取引ヲ締結スルヲ得シムル趣旨ニ外ナラス而モコレノミニテハ第三者ノ保護ニ於テ尚尽ササルノ憾ナキニ非ス他無シ相手方ハ始メヨリ取引ノ対象タル当該権利ヲ有セス若クハ当該取引ヲ為スノ権限ヲ有セサル場合即是ナリ乃チ斯ル場合ニ在リテハ当該権利若クハ権限ハ相手方之ヲ有スト信セラルヘキ相当ノ事由カ第三者ノ側ニ存スルトキハ斯ル第三者保護ノ為一面ニハ右ノ取引ヲ有効ナラシムルト共ニ一面ニハ此ノ有効ナルコトニ因リテ以テ偶々損害ヲ蒙ムルニ至リタル者（外ニハ当該権利ノ真ノ主体）ノ為ニハ右ノ相手方ニ対スル不当利得不法行為若クハ契約ニ基ク請求権ヲ与ヘテ其ノ救済ヲ計リ斯クテ内外ヲ処理調節シテ以テ過不及ナカラシムルノ途ヲ拓クコト決シテ稀有ナル現象ト為サス夫ノ所謂即時時効ノ規定ノ如キ通謀虚偽ノ意思表示ト善意ノ第三者トニ関スル規定ノ如キ代理権限アリト信スヘキ事由アル場合ノ規定ノ如キ若クハ債権ノ準占有者ニ対スル弁済ニ関スル規定ノ如キ其ノ他之ニ類スル規定則チ一トシテ其ノ基本観念ヲ前叙ノ法意ニ発セサルハ無シ豈啻コレノミナラムヤ此ノ法意ヲ推開シタル判例又決シテ少シト為サス処分承諾書及白紙委任状ヲ添附シタル株券ノ交付ヲ受ケタル者カ此等添附書類ヲ不正ニ使用シ第三者ト当該株式ニ付或取引ヲ為シタル場合第三者ノ善意無過失ナルトキニ限リ此ノ取引ハ本人ニ対シ有効ナリト云フ趣旨ノ判例ノ如キ其ノ一ナリ白紙委任状ヲ所持スル代理人ノ越権行為ニ付本人ハ善意ノ相手方ニ対シ其ノ責ニ任セサルヲ得スト云フ趣旨ノ判例又其ノ一ナリ自己ノ名義ノ下ニ或人カ自ラ営業ヲ為スコトヲ許諾シタル者ノ責任ニ関スル判例ノ如キ又其ノ一ナリ或営業ニ付自己ノ氏名ヲ使用スルコトノミヲ許諾シタルニ止マリ該営業ノ為自己名義ノ手形ヲ振出スカ如キコトハ之ヲ許諾セサリシ場合ト雖善意ノ手形所持人ニ対シテハ其ノ責ヲ辞スルヲ得スト云フ趣旨ノ判決ノ如キ又其ノ一ナリ、凡ソ此等ノ判例ニ於テ其ノ具体的事案コソ一ナラサレ其ノ裁判ノ基調ヲ成ス精神ニ至リテハ則チ前叙法意ト其ノ軌ヲ同フセサルモノ一トシテコレ無キハ無シ但シ或人已ニ嘱スルニ或事ヲ以テシタル後其ノ人ニシテ失行アリタル以上本人ト第三者ト果シテ孰レニ保護ヲ与フヘキヤ彼ニ偏セス此ニ執セス其ノ中ヲ得テ宜シキニ適スルコト這ハ曲ニ各場合ノ事情ヲ斟酌シ頗細心商量ヲ要スルノ事タルハ殆ント論ヲ俟タス若或ハ一意専心必ス第三者ヲ極ハサル可カラスト為スアラハ夫ノ所謂角ヲ矯メテ牛ヲ戕フモノ是亦却リテ取引ノ安全ヲ害シ了ルニ至ラムナリ……中略……夫レ電話加入権ノ或ハ売買セラレ或ハ賃貸セラレ或ハ担保ニ供セラレ之ニ関スル取引ノ多方ニシテ且頻繁ナル居然トシテ一ノ商品ニ似タルコト之ヲ我邦ニ於ケル現況ト為スニ省ルトキハ其ノ間善意且無過失ナル第三者ヲ保護シ之ヲシテ当該加入権ヲ取得セシムルノ必要亦決シテ尠少ナラストセスYハ第一審以来専ラ所謂即時時効ノ様式ニ依拠シテ立論抗弁スルトコロアルモ抑即時時効ノ制度タルヤ之ヲ通観スルトキハ畢竟取引上ニ於ケル第三者保護ノ目的ヲ達スル為或種ノ場合ニ対応ス可ク構成セラレタル一ノ手段ニ外ナラス其ノ根柢ヲ貫流スル精神ヲ汲ムトキハ本件ノ場合ノ如キ必ス之ヲ即時時効ノ様式ニ容ルルニ非サルヨリハ又何等救済ノ術無シト云フ可カラサルノ消息ハ前叙ノ判示ニ徴シ之ヲ了スルニ難カラ」（大判昭六・九・一六民集一〇・六七五）ず。

としている。ただこの事件は本来即時取得の問題とするべきでなく、AがXから一定条件の下にその加入名義変更手続を為すべき権限を与えられたにも拘らず、この条件に違背してその権限を行使したものであるから――それは民法総則にいわゆる代理の問題とは厳密には異なるにせよ――表見代理の問題として、Yの保護が考えられるべきであつたろう（同旨我妻同件評釈判民昭六・七〇事件）。

おもうに原権利者に何らかの過失がある場合に、かれよりも善意の取得者を保護して取引の安全を計るべしとする本判決の抽象理論および、本件の如き場合には表見代理の法理によつて問題を解決しうべしとする学説は、いずれも単に電話加入権についてに限らず、即時取得の成立しえない諸対象一般についても、広くあてはまる。たとえば所有者から抵当権設定の登記申請のための代理権授与の目的で白紙委任状と権利証（登記済証）の交付を受けた者が権限を踰越して善意の第三者に該不動産を譲渡しかつ移転登記をなした場合がそれであり、また定期預金証書に関する【74】の事案においても、もし白紙委任状が偽造でなく、真に権利者が――「見せ金」にするという当事者の特約づきではあったにせよ――これを作成していたとすれば、善意の取得者は保護されたであろう。

一般に白紙委任状の交付は、真の代理権の授与と権利そのものの移転との中間形態において利用されることが多く、これに照応してその不正利用に纏つて生ずる第三者の保護の問題も、表見代理と即時取得の中間の問題としてあらわれる。上述の諸事例はいずれもかかるもので即時取得の問題自体とは言いえないが、それに近い性格を持つている。商慣習として行われていた白紙委任状附記名株券の譲渡においては、白紙委任状は代理権の授与の性格を失い権利そのものの移転を意味するに至つており、その事は判例もこれを認めていたが、その輾転の過程において生じたトラブルに対する善意の取得者の保護については、なお即時取得を適用するには至らず、表見代理の考え方にのみ拠つていたようである。たとえば、

Yが米の定期取引の証拠金としてその所有の株券に処分承諾書および白紙委任状を添附してAに交付した。しかるにBはYの名義を冒用してAに対しYの債務を弁済し、よつて該株券および添附書類を取得し、BよりCを経てXが株券を取得し、会社に対して名義書換を請求したが、Yより会社に名義書換差止の請求があつたので、会社はXの名義書換に応じない。そこでXよりYに名義書

換を請求した事案につき原審は、「Aハ勿論YモBニ対シ株式ノ譲渡其ノ他ノ処分ヲ為サシムルノ意思表示ヲ為シタルモノニ非サレハ縦令Xカ其ノ主張スル如ク株式ノ所持人タルCヨリ善意無過失ニテ其ノ株式ヲ買受ケタリトスルモ斯ノ如キ場合ノ株式ノ名義人カXノ如キ買受人ニ対シ名義書換ノ手続ヲ為スヘキ義務ヲ負フコトヲ認メタル商慣習法存在セサルヲ以テXノ請求ハ不当ナリ」としたに反し、大審院は、

【85】「記名株式ノ所有者カ任意ニ其ノ株式ノ名義書換ニ必要ナル処分承諾書白紙委任状ヲ作成シ之ヲ株式ニ添附シテ他人ニ交付シタルトキハ株式ノ所有者ハ爾後其ノ株式及添附書類ヲ善意、無過失ニテ取得シタル第三者ニ対シテハ当初株式及添附書類ヲ交付シタル理由ノ如何ニ拘ラス其ノ株式ニ付承諾書若ハ委任状ニ記載補充セラレタル処分行為ヲ為シタルモノト看做サルヘシ……従テ此等ノ書類ヲ添附セル記名株式ノ所持人カ之ヲ他人ニ交付スルニ当リ其ノ株式ノ処分ヲ為シ若ハ為サシムルノ意思表示ヲ為シタルト否トハ爾後善意無過失ニテ其ノ株式ヲ添附書類ト共ニ取得シタル第三者ノ権利ニ何等ノ影響ヲ及ホスモノニ非ス」（大判大一二・四・一六民集二・二五一）。

として原判決を破毀し、Xの請求を認めている。同旨の判例は多数存する（大判明三八・六・二七民録一一・一〇四七、大判昭二・三・八新体系・商法1二、大判昭一四・二・四新体系商法1三）。これらは一見白紙委任状つき記名株券の即時取得を認めたもののようにも見えるが、それはあくまでも原所有者が任意に白紙委任状等を作成・交付した場合に限られ、「第三者ノ取得以前ニ於テ正当ノ所持人カ盗難遺失其ノ他ノ事由ニ依リ自己ノ意思ニ基カスシテ株式及添附書類ノ占有ヲ失ヒタル場合ニ於テハ其ノ第三者ハ権利ヲ取得スルコトナシ」（前出【85】の判決の一部）とされるのであり、真の即時取得というよりも、やはり表見代理の思想が強いようである。したがつて、白紙委任状が偽造であつた場合（大判昭九・一二・一四新体系・商法1一〇、大判昭一九・二・二九・民集二三・九〇）はもちろん、盗難その他自己の意思にもとづかないで

占有を失つた時（大判大一二・四・一六民集二・二五一）・騙取されたとき（大判明三八・七・八民録一一・一一三〇）・交付者が無能力であつてその行為が取消されたとき（大判大三・七・六（刑）新体系商法1・六、大判大一三・一二・二三民集三・五四二）、さらに交付した代理人が権限がなかつた場合、未成年者の親権者たる母が親族会の同意なしに未成年者所有の株券を譲渡した事案（大判大一三・一二・二三民集三・五四二、大判昭一一・六・二五新聞四〇一三・八）には、善意の取得者といえども保護をうけえなかつた（この間の判例の発展を詳細に見て行けば興味深いが、ここではその余裕がない）。現行商法に至つてはじめてこの問題は立法的に解決されるに至り、もはや表見代理的な考え方によつてではなく、即時取得の考え方で律せられるようになつた（後述二（一）(2)参照）。

二　取引安全尊重の必要度が動産より大なるもの

（一）　有価証券　民法一九二条以下の適用がない。しかしこのことは——前述一（四）の場合は例外である——善意取得者の保護がないということでなく、逆にこれを強化し、即時取得のためには積極的に善意無過失なることを要せずただ悪意または重大な過失なきを以て足るものとされ、第二に遺失品盗品についても原権利者の回復請求権を認めない、とするのである。この第二の点については、つぎの判決がある。

X（信託会社）所有の農工債券が盗難にあい、輾転してYの手に入りYはこれを他へ転売した。XはYに該債券の回復を請求したが不能なので、損害賠償請求をなし、原審はこれを認めたが、第二審は次のごとくに原判決を破毀し、Xの請求を却けた。

【86】　「然ルニ本件債券ノ如キ有価証券ニ付テハ商法第二百八十二条第四百四十一条ニ依リ該証券カ仮令盗

品ナリシ場合ニ於テモ之ヲ悪意又ハ重大ナル過失ナクシテ取得シタル者ニ対シテ盗難被害者ソノ返還ヲ請求シ得サルモノニシテ商法ハ民法ニ対スル特別法タル関係上此点ニ付キ動産占有ニ関スル民法第百九十三条ノ規定ハ其適用ナシ」とした（東控大一三・六・二八新聞二二九二・一五）。

なお同判決は、以上の判旨にひきつづき、Yの無過失を認定しているが、その説明は有価証券の即時取得一般につき参考となると思われるので、これを掲げる。

【87】「Yハ大正八年三月十九日右債権ヲ買受クル際売主ノ姓名住所ヲ糺シ官報及債券月報ヲ調査シテ該債券ニ付キ公示催告又ハ失効ノ公告等ノ無キコトヲ確メタル上善意ニテ之ヲ買受ケタルコトヲ認メ得ヘク同日迄ニ該債券ニ付キ公示催告又ハ無効宣告ノ公告ナカリシコトハ成立ニ争ナキ甲第三号証ニヨリ明ナルヲ以テYハ本件債券二通ヲ買受クルニ付キ反証ナキ限リ一応悪意又ハ重大ナル過失ナカリシモノト謂ハサルヘカラス、Xハ大正八年三月十日Yニ対シテ封書ヲ以テ本件債券カ盗難ニ罹リタル事実ヲ通知シタル旨主張スルモ此点ニ関スル原審証人ABノ供述ハ信ヲ措キ難ク其他ニ該事実ヲ認ムヘキ証左毫モ存セサルヲ以テ右盗難通知ノ事実ハ之ヲ認ムルヲ得ス又Xハ同年同月十三日大阪朝日新聞大阪毎日新聞其他神戸新聞又新日報ニ数回右盗難ニ罹リシ旨並ニ懸賞金一百円ヲ贈与スル旨ノ広告ヲ為シ同日頃X経営ノ神戸塩崎商報ニ大活字ヲ以テ右同様ノ懸賞広告ヲ為シY其他ノ有価証券売買業者一同ニ之ヲ発送シタル旨主張ス然リト雖仮令Xカ大正八年三月十三日頃懸賞付盗難広告アル神戸塩崎商報ヲYニ対シテ第三種郵便物トシテ発送シ同日頃神戸新報及神戸又新日報ニ盗難広告ヲ為シタルコトハ原審証人Aノ供述ニヨリ之ヲ認メ得サルニアラス又仮ニXカ其主張ノ如ク其他ノ新聞紙ニモ本件債券ノ盗難広告ヲ為シ又右神戸塩崎商報カ其当時Yニ到達シタリトスルモ平常国内ノ各新聞紙ヲ購読シ受贈ノ各商報ヲ披見シテ有価証券ノ盗難其他ノ記事広告ヲ牢記シ又ハ有価証券ノ買入ノ都度此等ノ新聞紙商報等繙読シテ斯ル記事広告ノ有無ヲ調査スルコトハ何人ト雖其煩労ニ耐ヘサル所ニシテ之ヲ前記商法第二百八

十二条カ有価証券流通ノ円満商業取引ノ安全ヲ計リ該証券取得者ヲ保護スル為メ特ニ規定セラレタル法意ニ照スモ有価証券売買業者ニ対シテスラ斯ル記事広告ノ調査ハ到底之ヲ強ユルコト能ハス果シテ然ラハYカ右債券買入当時有価証券売買業者ナリシコト当事者間ニ争ナキ所ナルモYハ該買入ニ付前掲ノ広告ヲ調査セサルモ敢テ重大ナル過失ナキ者ト謂ハサルヘカラス」（東京控判大一三・六・二八新聞二二九二・一五）。

なお有価証券の取引は商法の問題であるので、詳細は商法部門の担当者にこれを譲ることとし、以下ではきわめて簡単にこれを論ずる。

(1)　有価証券たる無記名債権・指図債権および記名式持参人払債権については、商法第五一九条により小切手法二一条の規定が準用される。有価証券たる無記名債権については同趣旨の判例がある（大判大六・三・二三民録二三・七・三九二）。記名式持参人払債権については、民法一九二条の適用なしとする判例がある（大判大元・九・二五民録一八・七九九）が、この事自体は正当でもその結果善意の取得者が何等保護されぬことになることは不当で、前述のように解すべきであろう。

(2)　株券は無記名の場合も、記名式で裏書譲渡される場合も、また記名式で譲渡証書によつて譲渡される場合も、商法二二九条によつて小切手法二一条が適用される。最後の場合の沿革的前身にあたる白紙委任状つき記名株券の場合については、従来は即時取得の適用なくただ例外的に取得者の保護が講ぜられていたのみであつたが（前出一(四)(2)・(五)）、商法改正によつて現在は上述のごとくにして解決されている。

(二)　貨幣　貨幣はその流通の頻繁度が有価証券よりさらに大きく、したがつて取引安全尊重の必要度もきわめて大きい。しかるに判例は、久しくこれを一般動産と同様に扱い民法第一九二条の適用を認め（たとえば上述〔16〕〔17〕〔18〕および〔53〕参照）、さらに第一九三条の適用すら認めている。すなわち

具体的事実は判例集からはよく解らないが、Xの金銭をAが盗み、Bを経て善意のYがこれを取得した場合に、XよりYに返還請求を原審が認めたに対し、Yが、「金銭ノ如キハ流通物ノ最タルモノニシテ他ノ動産ト同視ス可キニ非ス他ノ動産ニシテ斯ク正当ノ占有者ニ保護ヲ与フル以上ハ金銭カ之ト同等ノ保護ニ浴スヘキハ理当ニ然ル可キ所ナリ是レ疑ヒモナク同法第百九十三条ノ規定ハ金銭ノ場合ヲ除外シタルモノト解釈セサルヘカラス試ニ同法第百九十四条ヲ看ンカ愈々以テ其然ルヲ知ル他ナシ若シ前条ノ盗品又ハ遺失品ニ金銭ヲ包含セルモノトスルトキハ本条ノ制限ハ金銭ニ対シ些ノ効果ヲ及ホササルニ至リ洵ニ不権衡ナル結果ヲ生スルニ至ルヘケレハナリ（金銭ノ競売又ハ公ノ市場ニ於テノ販売ハ事実上存在シ得ヘカラサルコトナリ）独逸民法ニハ除外ノ明文アリ我民法ニ此規定ナキハ金銭本来ノ性質トシテ除外ヲ規定スルノ要ヲ認メサリシモノナラン」として上告したが、大審院はつぎのごとき理由から上告を棄却し、Xを勝訴せしめた。

【88】「内国通用ノ貨幣又ハ紙幣ノ動産タルコトハ多言ヲ要セサル所ナリ既ニ動産タル以上ハ其貨幣又ハ紙幣ニシテ盗品ナルトキハ被害者ノ盗難ノ時ヨリ二年間占有者ニ対シテ其回復ヲ請求シ得ヘキハ民法第百九十二条同第百九十三条ノ規定スル所ナリ然ルニ上告人ニ於テ金銭ノ如キ通貨ハ流通物ノ最タルモノニシテ他ノ動産ト同一視スヘキモノニアラス而モ他ノ動産ニ在リテモ尚ホ且同第百九十四条ニ於テ善意ノ占有者ヲ保護スル規定ノ設ケアルヲ以テ金銭ノ如キ通貨ハ同第百九十三条ニ包含セス同条ハ金銭ノ如キ通貨ヲ除外シタルモノナルコト明ナリト主張スルモ凡ソ法律上除外例ハ明文ヲ要スルモノナレハ我国ノ法律ニシテ彼独国法律ノ如ク通貨

ノ盗品タル場合ニ於テ善意ノ占有者ヲ保護シ被害者ニ其回復ノ請求ヲ許ササラント欲セハ宜シク独国ノ如ク明文ヲ設クヘキ筋合ナルニ我民法中特ニ之カ除外例ヲ設ケサリシヲ以テ見レハ我国立法ノ趣意ニ於テモ通貨ト他ノ動産トノ間何等ノ区別ヲ設クル意思ナキヲ知ルニ足レリ又上告人ニ於テ我民法ニ除外ノ明文ヲ設ケサリシハ金銭ノ如キ通貨ハ本来ノ性質トシテ除外ノ規定ヲ要セサルカ為メナリト云フモ良シ金銭ノ如キ通貨ハ流通物ニシテ他ノ動産ト異ナル所アルモノトスルモ之レカ為メ明文ヲ要セスシテ除外例ニ属スルモノナリトスル理由ヲ発見スル能ハサルノミナラス民法実施以前ニ於テ判例上金銭ノ如キ通貨ニシテ盗品タリシ場合ニ於テハ常ニ他ノ動産ト均シク被害者ニ其回復請求ノ権利ヲ認メ来リシヲ以テ立法者ニシテ民法ニ於テ此判例ニ異ナリタル主義ヲ執ラント欲セハ必ス明文ヲ以テ之カ除外例ヲ規定スヘキ必要アルニ之カ為メ何等規定ヲ設ケサリシヲ以テ視レハ之ヲ除外例ト為ササリシヤ益明カナリ」(大判明三五・一〇・一四刑録八・九・五八)。

しかし学説は、こぞつてこれに反対した。その主張するところは、貨幣については単に民法一九三条の適用なしとするに止まらず、あるいは有価証券に準じて商法五一九条、小切手法二一条を準用すべしとし(松本「金銭の即時取得について」私法論文集所収、我妻・物権法一四五頁)、あるいはさらに進んで、貨幣は全く個性がなく抽象化された価値の表現者たるにすぎないから、その所有権は占有を常に伴い、占有の移転を生ぜしむる法的原因の有無を問わず、占有の移転とともに所有権も移転するものと解し、したがつて、貨幣についてはそもそも無権利者からの譲渡ということがなく、即時取得の問題はそもそも生じないとする(末川「貨幣とその所有権」所有権契約その他の研究所収・末弘・物権法上二六一頁、川島・所有権法の理論一九七頁、柚木・判物総三三七頁)。私法上の問題としての貨幣の所有権を考うるかぎり、かく解せざるをえぬであろう。

判例は久しく自己の立場を固守していたが、最近にいたつてようやく最高裁は、貨幣においては占有と所有とが相伴うものなることを承認するに至つた。しかしそれは、直接即時取得の問題に関しないばかりでなく、刑事事件である。

さて事案はA信用組合の理事X等は、非組合員B等に貸付けるため、組合の定款に反して、非組合員C等から組合の名において貯金を受入れ、これを組合の名においてB等に貸付けたが回収不能に陥つてしまつた。第一審・第二審とも、X等の行為は、任務に背きAに損害を加えたものとして、これを背任罪とした。弁護人の上告趣意は、C等の預金は法律上無効なるゆえ、その貯金はA組合に属せず、X等の構成する組合の第二企業体に属するものというべきであり、少くとも組合と預金者との金銭消費寄託契約が法律上絶対無効である以上、貯金の所有権が組合に移転することはなく、従つてX等の行為はA組合に損害を及ぼしたとはいえない、というのである。これに対して最高裁は、

【89】「所論別口貯金も、X等がA信用組合の理事たる資格をもつて、Aの名において、Aの計算において、Aに対する貯金として、受入れたものであることは、本件第一審判決の確定するところである。とすれば、たとえ、右貯金が組合員以外の者のした貯金であるが故に法律上無効であつて、Aに対する消費寄託としての法律上の効力を生ずるに由ないものであるとしても、右貯金の目的となつた金銭の所有権自体は一応Aに帰属したものと云わなければならない。けだし、金銭は通常物としての個性を有せず、単なる価値そのものと考えるべきであり、価値は金銭の所在に随伴するものであるから、金銭の所有権は特段の事情のないかぎり金銭の占有の移転と共に移転するものと解すべきであつて、金銭の占有が移転した以上、たとえ、その占有移転の原由たる契約が法律上無効であつても、その金銭の所有権は占有と同時に相手方に移転するのであつて、ここに不

当利得返還債権関係を生ずるに過ぎないものと解するを正当とするからである。論旨は採用することを得ない（所論引用の大審院判例は右と牴触する範囲において変更を免れないものである）。」（最判昭二九・一一・五刑集八・一一・一六七五）。

として上告を棄却している。貨幣所有権についての正しい一般理論が最高裁によつて承認されたのは欣ぶべきことであり、またこの判例の趣旨を推しすすめれば、即時取得の問題については、従来の判例の建前が改められ、貨幣はそもそも即時取得の範囲外でありうるということが認められたと解してよいであろう。ただし、具体的事案については、判旨のごとくC等のなした預金が一応A組合に属するものとすると、AはCに対し不当利得返還債務を負うこととなり、組合員たる無責の一般預金者の利益を害することになり、必しも妥当な結果とならない。また民法上貨幣の所有権につき上述のごとく解すべきことは疑ないにせよ、そもそも刑法上の所有権の概念を民法上のそれと必ず同一に解さなければならぬものかについても、疑問は残らなくはない、（同旨、大塚同件評釈・判例評論一号一三頁）。

最高裁判所判例

控訴院判例

高等裁判所判例

地方裁判所判例

判例索引

大審院判例

著者紹介

川島《かわしま》 一郎《いちろう》 法務省民事局參事官

鈴木《すずき》 祿彌《ろくや》 大阪市立大學助教授

総合判例研究叢書 民 法 (6)

昭和32年 8 月15日 初版第1刷印刷
昭和32年 8 月20日 初版第1刷発行

著作者 川 島 一 郎
鈴 木 祿 彌

発行者 江 草 四 郎

印刷者 堀 内 文 治 郎

東京都千代田区神田神保町2ノ17
発行所 株式会社 有 斐 閣
電話九段(33) 0323・0344
振替口座東京 370 番

印刷・株式会社堀内印刷所 製本・稲村製本所

総合判例研究叢書 民法(6)
(オンデマンド版)

2013年1月15日 発行

著 者 川島 一郎・鈴木 禄弥
発行者 江草 貞治
発行所 株式会社 有斐閣
〒101-0051 東京都千代田区神田神保町2-17
TEL 03(3264)1314(編集) 03(3265)6811(営業)
URL http://www.yuhikaku.co.jp/

印刷・製本 株式会社 デジタルパブリッシングサービス
URL http://www.d-pub.co.jp/

AG459

ISBN4-641-90985-7 Printed in Japan